短期集中

初級日本語文法
総まとめ
ポイント20

友松悦子・和栗雅子 ◆ 著

スリーエーネットワーク

©2004 by TOMOMATSU Etsuko and WAKURI Masako

All rights reserved. No part of this publication may be reproduced, stored in a retrieval system, or transmitted in any form or by any means, electronic, mechanical, photocopying, recording, or otherwise, without the prior written permission of the Publisher.

Published by 3A Corporation.
Trusty Kojimachi Bldg., 2F, 4, Kojimachi 3-Chome, Chiyoda-ku, Tokyo 102-0083, Japan

ISBN978-4-88319-328-8 C0081

First published 2004
Printed in Japan

PREFACE

はじめに

本書の対象

このテキストは、日本語初級の学習を一応終わった人が、短時間で集中的に初級全体の学習事項を総整理するためのものです。日本語初級にはいくつかの小さい山がありますが、その時々には目の前の山を越えるのに精一杯で、山と山のつながりなど目に入りません。そのため、一応初級の学習が終わっても、全体になんとなくあいまいで、このまま中級に進むのはちょっと不安だ、という人がいます。また、新学期に中級からスタートするクラスでは、メンバーの言語知識がばらばらで、すぐにはスムーズに中級に入れないこともあるということは多くの現場教師が経験しているところでしょう。

そこで、初級の大切な学習項目を整理し、関連づけて大急ぎで復習できるようにと願って本テキストの作成を試みました。

本書のねらい

個々の学習項目や文型は、いわばジグソーパズルのピースのようなものです。ピースを組み合わせた全体の図柄が見られるようになることが、この先うまく進めるかどうかの「かぎ」になると思います。日本語とはこういうことに注意しながら学習するのがいいのだという感覚がなんとなくわかってくれば、中級に入ってからの文型も学習しやすいのではないでしょうか。本テキストによって基本的なことも復習をしながら、日本語の表現形式において注意すべき点をつかみとることができるようにと期待しています。

本書の構造

大切なポイントを20項目に分けて、次第に奥へ進めるように並べました。はじめの6課までは基本の「基」です。各課ははじめにスタートテストがあり、まず腕だめしをやってみます。次にその課のポイントが簡単に説明されています。その後に、そのポイ

ントに関する練習問題が続きます。最後に、まとまった文章（談話）の中での使い方を考える練習問題を加えました。

　本テキストが初級全体の総整理に、また、中級へ進むための橋渡しとしてお役にたてば幸いです。

　出版部の佐野智子さんには企画の段階から、全体の構成、学習者にわかりやすくするための工夫、説明事項の内容に至るまで、たいへんお世話になりました。佐野さんの鋭い指摘と貴重なアドバイスのおかげで、こころ楽しく本書を完成することができました。こころからお礼申し上げます。

　また、原稿を丁寧にチェックしてくださった山本磨己子さん、ほんとうにありがとうございました。

2004年10月　著者

CONTENTS

目　次

1課	助詞	2
2課	「は」と「が」	9
3課	活用1	16
4課	活用2　動詞の3分類と「て形」・「た形」	21
5課	動詞の活用と文型	27
6課	ふつう形	32
7課	こ・そ・あ　自分と相手との関係	40
8課	申し出・勧誘　自分の行為の申し出か、相手への働きかけか	46
9課	自分か他者か	51
10課	継続性か、瞬間性か	58
11課	話者の位置　～ていく・～てくる	65
12課	他動詞と自動詞の対	68
13課	可能表現	76
14課	事実か、気持ちが入っているか	82
15課	条件など	86
16課	授受　だれがだれに？	95
17課	使役	102
18課	受身・使役受身	107
19課	敬語	115
20課	文のスタイル	124
コラム	大切な副詞①	39
	「まいります」「おります」	122
	大切な副詞②	123

1課 助詞 Particles

助词
조사

TEST スタートテスト

問題 （　）の中に適当な助詞を入れなさい。

1. 危ないからこの道（　　）ボール投げをしないでください。
2. 運転手さん、この道（　　）まっすぐ行ってください。
3. 父は公園へ散歩（　　）行きました。
4. きのうわたしは母（　　）買い物に行きました。
5. 母（　　）お金をもらいました。
6. 国の母（　　）手紙を書きました。
7. わたしは自転車（　　）会社へ行きます。
8. 自転車（　　）乗るときは気をつけてくださいね。
9. わたしは毎朝8時に家（　　）出ます。
10. 去年けが（　　）入院しました。これからは気をつけます。

POINT ポイント1　場所を表す助詞①
(Particles to indicate a place ／ 表示場所的助詞 ／ 장소를 나타내는 조사)

動作の場所か、存在の場所か

動作の場所 Place of action 动作的场所 ／ 동작의 장소	で	教室でお弁当を食べましょう。 みちこさんはデパートでくつを買いました。
行事の場所 Place of occurrence 举行活动的场所 ／ 행사의 장소	で	あしたこのホールで説明会があります。 体育館でスポーツ大会があります。
存在の場所 Place of existence 存在的场所 ／ 존재의 장소	に	机の上に本があります。 スーパーの前にチンさんがいます。 わたしの母はいつもうちにいます。 山川さんのうちにはプールがあります。
状態が表れている場所 Place where certain situation exists 表示状態的场所 ／ 상태가 나타나 있는 장소	に	駅の前にいろいろな店が並んでいます。 庭に花が咲いています。

問題1　どちらか適当な方を選びなさい。

1. 上野動物園 ｛で　　に｝ パンダがいます。

　　動物園 ｛で　　に｝ いろいろな行事があります。

　　動物園 ｛で　　に｝ いろいろな動物を見ました。

2. あそこ ｛で　　に｝ あるものは何ですか。

　　あそこ ｛で　　に｝ 話している人はだれですか。

　　きょうあそこ ｛で　　に｝ 何があるんですか。カラオケ大会ですか。

3. ほら、山の上 ｛で　　に｝ 月が出ています。

　　山の上 ｛で　　に｝ 人は住んでいません。

　　山の上 ｛で　　に｝ 写真をとりました。

4. わたしの村 ｛で　　に｝ 来月スポーツ大会があります。

　　わたしの村 ｛で　　に｝ 有名な山があります。

　　わたしの村 ｛で　　に｝ 今、妹の家族がいます。

POINT ポイント2　場所を表す助詞②

起点か、通過点か、到達点か

起点 Starting point 起点／기점	を	家を出ます。 電車を降ります。
通過点 Passing point 经过点／통과점	を	橋を渡ります。 空を飛びます。
到達点 Terminating point 到达点／도달점	に	家に入ります。 山に登ります。

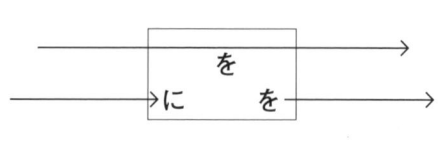

問題2　適当な助詞を選びなさい。

1．新幹線のぞみ17号は12時13分に東京｛で　に　を｝出発します。

　新幹線のぞみ17号は静岡｛で　に　を｝通過*します。　　*通過　Pass／经过／통과

　新幹線のぞみ17号は14時34分に京都｛で　に　を｝着きます。

　わたしは京都｛で　に　を｝ヤンさんに会います。

2．トラックはもうすぐA町｛で　に　を｝入ります。

　トラックは今、A町の中｛で　に　を｝走っています。

　トラックはA町｛で　に　を｝荷物をおろします。

3．1時のバス｛で　に　を｝乗ります。

　わたしは公園前｛で　に　を｝バス｛で　に　を｝降りて、

　公園｛で　に　を｝散歩します。

4．わたしはKホテル｛で　に　を｝泊まっています。

　このバスはKホテルの前｛で　に　を｝通ります。

　Kホテルの前｛で　に　を｝写真をとりましょう。

5．わたしは2000年に専門学校｛で　に　を｝入学しました。

　専門学校｛で　に　を｝デザインを勉強しました。

　2003年に専門学校｛で　に　を｝卒業しました。

POINT ポイント3 その他の助詞①

動作の相手か、いっしょに動作をする相手か

動作の相手 Party to/against whom something is done 动作的对象 ／ 동작의 상대방	に	父に写真を見せます。 子どもにピアノを教えます。
いっしょに動作をする相手 Party with whom one does something 一起动作的对象 ／ 함께 동작하는 상대방	と	わたしはみちこさんと結婚したいです。 兄とけんかをしました。

＊先生に相談します。　先生に会います。　（わたし⇒先生）
　友だちと相談します。　友だちと会います。　（わたし⇔友だち）

起点か帰着点か

ものの起点 Place from which something is taken 事物的起点 사물의 기점	から	さいふからお金を出します。 この中から好きなものを選んでください。
ものの帰着点 Place to which something is returned 事物的回归点 사물의 귀착점	に	さいふにお金を入れます。 ノートに名前を書きます。

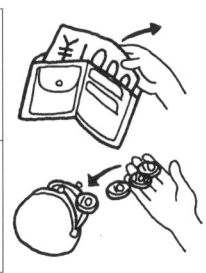

問題3　（　）の中に適当な助詞（と　に　から）を入れなさい。

1．わたしはきょうリーさん（　）会います。リーさん（　）旅行のことを聞きます。
2．友だち（　）よく話し合って旅行の日を決めてください。
3．わたしはこの誕生日のカードを妹（　）送ります。
4．A：あしたの会には出席できません。みなさん（　）よろしく言ってください。
　　B：そうですか。じゃ、会長（　）電話をかけておいたほうがいいですよ。
5．もっとよく知りたい人（　）いい本を紹介します。
6．彼はわたし（　）きれいな花をくれました。
7．この紙（　）名前と電話番号を書いてください。
8．あの荷物をたな（　）おろしてください。
9．シャツ（　）ボタンをつけてください。
10．あした、みなさんのうち（　）新聞紙を持ってきてください。
11．テーブルの上（　）お皿を並べてください。

POINT ポイント4　その他の助詞②

目的か、原因か、手段・方法か、材料・原料か

目的 Objective／目的／목적	に	デパートへ買い物に行きます。 あした留学生がこの工場の見学に来ます。
		このへんは買い物に便利です。 ビザの延長にどんな書類が必要ですか。
原因 Cause／原因／원인	で	事故で電車が止まっています。 毎日雨でテニスの練習ができません。
手段・方法 Means/method 手段、方法／수단・방법	で	バスで学校へ行きます。 ペンで書いてください。 英語で手紙を書きます。
材料 Material／材料／재료	で	このバターと卵でおいしいケーキを焼きます。 紙で人形を作ります。
原料 Basic ingredient/Raw material 原料／원료	から	日本酒は米から作ります。 石油からいろいろなものができます。

問題4　（　）の中に適当な助詞を入れなさい。

1．このはさみ（　）花を切ってください。
2．わたしは竹（　）作ったいすとテーブルが好きです。
3．もっと大きい声（　）話してください。
4．わたしはけが（　）1週間入院しました。友だちがお見舞い（　）来てくれました。
5．何か健康（　）いいことをしていますか。
6．わたしは日本へ経済の勉強（　）来ました。
7．台風（　）木が倒れました。
8．今度の旅行（　）はたくさんのお金がかかります。
9．日本語の勉強（　）は、この辞書を使ったほうがいいですよ。
10．妹は友だちと体育館へピンポンの練習（　）行きました。
11．この花びんは重いから両手（　）持ってください。
12．ビールは何（　）作るのですか。

POINT ポイント5　時間関係を表す助詞（ Particles to indicate time-related terms　表示时间关系的助詞　／ 시간 관계를 나타내는 조사 ）

始まりか、終わりか、期限か（ Start, termination, time limit ／ 开始、结束或期限 ／ 시작인가, 끝인가 혹은 기한인가 ）

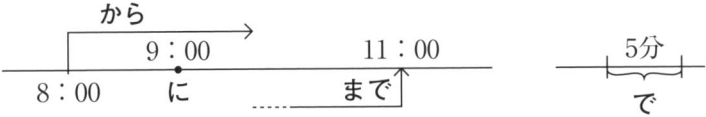

時間 Time ／时间／ 시간	に	授業は9時に始まります。 〜曜日に　〜日に　〜月に　〜年に　昼休みに　など
	×	来週父が日本へ来ます。 けさ　きのう　先週　来月　去年　毎〜　いつ　など
時間の始点と終点 Starting and ending points in terms of time 时间的起点和终点 시간의 시작과 끝	から	銀行は9時から3時までです。 朝から雨が降っています。
	まで	きのうは2時ごろまでずっと本を読んでいました。
時間の期限→10課 Limit of time (deadline) 时间的期限 ／ 시간의 기한	までに	25日までに申し込み用紙を出してください。 9時半までに空港に着かなければなりません。
時間の限度 Time limit ／ 时间的限度 시간의 한도	で	あと5分で試験が終わります。 作文は30分で書きおわりました。

問題5　適当な助詞を選びなさい。

1．今月のおわり｛から　まで　までに｝旅行の計画を出してください。
2．わたしは2002年｛から　×　に｝日本へ来ました。
3．来週｛×　に　まで｝みんなで旅行に行きます。
4．わたしは3月3日｛×　に　から｝デパートでくつを買いました。
5．あさって｛×　に　まで｝誕生パーティーをしますから、来てください。
6．わたしは2003年｛×　まで　までに｝北海道に住んでいました。
7．この仕事、1週間｛×　に　で｝全部終わりますか。
8．母はきょう｛×　に　から｝来月3日｛×　まで　までに｝るすです。
9．あした、夕方｛から　まで　までに｝ビールを買っておいてください。
10．会議は9時｛から　に　までに｝ですよ。まだ20分も時間があります。

問題6　（　）の中に適当な助詞を入れなさい。必要ではないときは×を入れなさい。

＜山中湖へ行くバスの中＞

旅行会社の人：みなさん、準備はいいですか。あと5分 ①（　）山中湖ですよ。

A　　　　　：あ、ここには前に友だち ②（　）来たことがあります。

B　　　　　：わたしも去年 ③（　）みんなで箱根へ美術館の見学 ④（　）行った
　　　　　　　とき、ここ ⑤（　）写真をとりました。

C　　　　　：ああ、あの時ですね。わたしも誘われたんですが、急な仕事 ⑥（　）
　　　　　　　来られませんでした。

旅行会社の人：さあ、みなさん、山中湖 ⑦（　）着きましたよ。バス ⑧（　）降り
　　　　　　　るとき、大切なものはバスの中 ⑨（　）置かないで、自分で持ってい
　　　　　　　ってください。

A　　　　　：あのう、ここ ⑩（　）昼ご飯を食べますか。

旅行会社の人：いいえ、昼ご飯はここから10分ぐらいのところ ⑪（　）あるレスト
　　　　　　　ラン ⑫（　）食べます。ここからまたバス ⑬（　）そこまで行きま
　　　　　　　すから、12時 ⑭（　）ここに集まってください。

みんな　　　：は〜い、わかりました。

B　　　　　：あのう、すみません。トイレはどこですか。

旅行会社の人：この道 ⑮（　）まっすぐ行ったところ ⑯（　）ありますよ。

2課　「は」と「が」

TEST　スタートテスト

問題　どちらか適当な方を選びなさい。

1．A：リンさん、リンさん、あれ、リンさん｛は　が｝欠席ですか。
　　B：はい、きょうは来ません。
2．A：あなたの誕生日｛は　が｝いつですか。
　　B：5月18日です。
3．A：どちら｛は　が｝いいですか。
　　B：そうですねえ。こちらをください。
4．A：さっき小林さんという人｛は　が｝来ましたよ。
　　B：あ、そうですか。小林さん｛は　が｝わたしの高校のときの友だちです。
5．隣の家に大きい犬｛は　が｝います。
6．土曜日｛は　が｝忙しいですが、日曜日｛は　が｝ひまです。
7．東京｛は　が｝人｛は　が｝多いですね。
8．ほら、桜｛は　が｝きれいよ。
9．先週あなた｛は　が｝読んだ本の名前を教えてください。

> **POINT** ポイント1　大切な情報（Important information ／ 重要的信息 ／ 중요한 정보）

(1) 伝えたい情報の前→「は」　Immediately before delivered information "は" is used
　　　　　　　　　　　　　　在希望传递的信息之前→ "は" ／전하고 싶은 정보의 앞→「は」

　　　伝えたい情報の後→「が」　Immediately after delivered information "が" is used
　　　　　　　　　　　　　　在希望传递的信息之后→ "が" ／전하고 싶은 정보의 뒤→「が」

　　　田中社長は 3時に来ます。
　　　　　　　↳伝えたい情報

　　　田中社長 が3時に来ます。
　　　↳伝えたい情報

(2) 疑問詞の前→「は」　答えも「は」で答える。　Immediately before an interrogative "は" is used
　　　　　　　　　　　　　　　　　　　　　　　在疑问词之前→ "は" ／의문사의 앞→「は」

　　　疑問詞の後→「が」　答えも「が」で答える。　Immediately following an interrogative "が" is used
　　　　　　　　　　　　　　　　　　　　　　　在疑问词之后→ "が" ／의문사의 뒤→「が」

　　　A：これは 何 ですか。　　B：これは時計です。
　　　A：だれ が来ましたか。　B：田中さんが来ました。

問題1　（　）の中に「は」か「が」を入れなさい。

1．A：リンさん（　）どの方ですか。　B：リン（　）わたしです。
2．あした国の友だち（　）日本へ来ます。彼（　）Kホテルに泊まります。
3．A：夏休みにいっしょに旅行しましょう。どこ（　）いいですか。
　　B：富士山（　）いいです。
4．来週はわたしではなく、チン先生（　）発音を教えます。チン先生（　）T大学の中国語の先生です。
5．＜病院に電話して＞
　　A：そちらは何曜日（　）休みですか。
　　B：第1、第3水曜日と日曜日（　）休みです。
6．A：これ、だれ（　）作ったの？ヤンさん？
　　B：いいえ、マリアさん（　）作ったんです。

POINT ポイント2　はっきり示したい場合
(When expressly mentioning something ／ 希望明确表示时 ／ 분명히 나타내고 싶을 경우)

（1）取り立てて話題にするとき→「は」　When particularly mentioning something, "は" is used.
　　　　　　　　　　　　　　　　　特别作为话题提出时→"は"
　　　　　　　　　　　　　　　　　특별히 화제로 삼을 때→「は」

　　3年前にあの映画を国で見ました。

　　→ あの映画 は、3年前に国で見ました。

　　　お酒 は好きなんですが、すぐ顔が赤くなってしまうんです。

　＊特に、否定したい部分をはっきり示したいとき、「は」になることが多いです。
　　When expressly mentioning something to be denied, "は" is more frequently used.
　　希望明确表示特别想否定的部分时，通常用"は"。
　　특히 부정하고 싶은 부분을 분명히 나타내고 싶을 때 「は」로 되는 경우가 많습니다.

　　　わたしのうちに 犬 はいません。

　　　わたしは あの人と は結婚しません。

（2）対比して示したいとき→「は」　When comparing things, "は" is used.
　　　　　　　　　　　　　　　希望对比表示时→"は" ／ 대비하여 나타내고 싶을 때 →「は」

　　　家の外 は寒いですが、中 は暖かいです。

　　　ワイン は飲めますが、ウイスキー は飲めません。

　　　この子は うちで はよく話しますが、外で はあまり話しません。

　＊「が」「を」の後に「は」をつけると、「が」「を」は消えてなくなります。
　　その他の助詞は残ります。
　　If "は" is added after "が" or "を", the "が" or "を" disappears. Other types of particles remain.
　　在"が""を"的后面加上"は"时，"が""を"就省略。其他助词不变。
　　「が」「を」의 뒤에 「は」를 붙이면 「が」「を」는 사라지게 됩니다. 그 이외의 조사는 남습니다.

　　　昼ご飯を は、食堂で食べます。食堂で は安く食べられるからです。

　　　料理が は下手なんですが、作ることが は好きです。日曜日には必ず作ります。

問題2 どちらか適当な方を選びなさい。

1．ビールはあの人｛は　が｝飲んだんです。
2．わたしは朝ご飯｛は　が｝食べませんが、昼ご飯｛は　が｝たくさん食べます。
3．A：きのう銀行へ行きましたか。
　　B：いいえ、銀行へ｛は　が｝行きませんでした。
4．A：あした山田さん｛は　が｝空港へ行きますか、あなた｛は　が｝行きますか。
　　B：空港へ｛は　が｝わたし｛は　が｝行きます。山田さん｛は　が｝家で待っているそうです。
5．大きい字｛は　が｝見えますが、小さい字｛は　が｝めがねをかけなければ見えません。
6．A：ヤンさんは野菜ジュースを飲みますか。
　　B：ええ、野菜ジュース｛は　が｝毎日飲んでいます。

POINT ポイント3　描写と構文上の決まり （Describing things and sentence structure rules
描写与句法上的规则 ／ 묘사나 구문상의 규칙 ）

(1) 目や耳に入ってくることを描写するとき→「が」　When what one sees or hears is described, "が" is used.
描写看到和听到的事情→ "が"
眼에 보이거나 귀에 들리는 것을 묘사할 때 →「が」

　　あ、鳥が水を飲んでいます。

　　雨が降ってきましたよ。

(2) 複文では、主節の主語→「は」　In complex sentences, "は" is used after the subject in the principal clause.
在复句中，主句的主语→ "は" ／ 복문에서는 주절의 주어→「は」

　　　　　　従属節の主語→「が」　"が" is used for a dependent clause subject.
从属句的主语→ "が" ／ 종속절의 주어→「が」

　　わたしは 子どもがかいた 絵を見ました。

　　わたしはいつも 子どもが寝てから テレビを見ます。

(3) 文型　Ｎ１はＮ２が～

　　Ｎ１→話題のもの　Subject matter ／话题／화제의 대상
　　Ｎ２→Ｎ１の部分、感情や能力などの対象、所有するものなど
　　　　　Part of N1, or object of N1's emotion or capability, or what is owned by N1
　　　　　N1的部分、感情和能力等的对象、所拥有的物品等 ／ N1의 부분, 감정이나 능력 등의 대상, 소유하고 있는 사물 등

　　この部屋　は　窓　が　大きいですね。
　　わたし　　は　車　が　ほしいです。
　　わたし　　は　頭　が　痛いです。
　　ゆみこさんは　歌　が　上手です。
　　この子　　は　力　が　あります。

問題3　（　）の中に「は」か「が」を入れなさい。

1．うちの犬（　）足（　）短いです。
2．困ったこと（　）あったら、何でもわたしに相談してください。
3．ああ、きょうはいつもより富士山（　）きれいですね。
4．ほら、見て。鳥（　）木の実を食べているよ。

5．父（　）かぜをひくとすぐこの薬を飲みます。

6．わたし（　）スポーツ（　）好きです。

7．わたし（　）教えたやり方でやってみてください。

8．A：今、あなた（　）何（　）ほしいですか。
　　B：今、わたし（　）いちばんほしいもの（　）時間です。

[問題4]　（　）の中に「は」か「が」を入れなさい。

1．わたし（　）田中先生ではありません。この方（　）田中先生です。

2．A：バス（　）来ましたよ。あのバス（　）どこへ行くバスですか。
　　B：東京駅行きですよ。

3．A：あのビルの前に赤い車（　）見えますね。あの車（　）だれのですか。
　　B：ああ、あれ（　）わたしのです。

4．A：地震（　）あったとき、どこ（　）いちばん安全ですか。
　　B：そうですねえ。家の外に出てください。

5．わたしは事故（　）怖いから、もう車の運転（　）しません。

6．川田：山中さんはロシア語（　）できるそうですね。
　　山中：いえ、読むこと（　）できますが、話すこと（　）できません。

7．わたしはきょう熱（　）ありますから、水泳（　）しません。

8．この間わたし（　）言った話（　）だれにも言わないでください。

9．この部屋（　）さっきリンさん（　）そうじしました。

10．あ、ベル（　）鳴っていますよ。だれ（　）来たのでしょうか。

11．A：社長（　）きょう来ること（　）本当ですか。
　　B：ええ、本当ですよ。

12．A：きょうの天気（　）どうですか。
　　B：いい天気ですよ。雨（　）降らないようです。

13．A：天気（　）よければ、ここから富士山（　）見えますか。
　　B：いいえ、ここから富士山（　）見えませんよ。

14．食べること（　）楽しいですが、料理を作ること（　）大変ですね。

15．あ、ほら、桜（　）咲きはじめましたよ。桜（　）いつ見てもきれいねえ。

問題5 （ ）の中に「は」か「が」を入れなさい。

　むかし、むかし、あるところにおじいさんとおばあさん ①(　　) いました。

　ある日、おじいさん ②(　　) 山へ木の枝をとりに、おばあさん ③(　　) 川へ洗たくに行きました。おばあさん ④(　　) 川で洗たくをしていると、大きいもも ⑤(　　) 流れてきました。

　おばあさん ⑥(　　)「まあ、これ ⑦(　　) 大きいももだ……。」と言って、ももをひろってうちへ帰りました。おじいさんもびっくりして、「こんなに大きいもも ⑧(　　) 初めて見たよ。」と言いました。おじいさんとおばあさん ⑨(　　) ももを半分に切ってみると、中から元気な男の子 ⑩(　　) 出てきました。「この子 ⑪(　　) きょうからうちの子にしよう。この子にはどんな名前 ⑫(　　) いいかな。」とおじいさんとおばあさん ⑬(　　) 考えました。そして、ももから生まれたから「ももたろう」という名前をつけました。ももたろう ⑭(　　) 大切に育てられて、立派なおとなになりました。

3課 活用1 (Conjugation 1)

活用1
활용 1

TEST スタートテスト

問題 I （　）の中を適当な形にして、＿＿＿＿の上に書きなさい。

例　きのうはわたしの **誕生日でした** 。（誕生日です）

1．きのうはとても＿＿＿＿＿＿＿＿＿。（暑いです）

2．大木「山田さんのアパートは静かですか。」
　　山田「いいえ、あまり＿＿＿＿＿＿＿＿＿。」（静かです）

3．ヤンさんは先月国へ＿＿＿＿＿＿＿＿＿。（帰ります）

4．あしたは＿＿＿＿＿＿＿＿＿。（休みです）授業がありますよ。

5．けさ、忙しかったので、朝ご飯は＿＿＿＿＿＿＿＿＿。（食べます）

問題 II 2つの文を1文にしなさい。

例　あの方は田中先生です。　+　あの方は数学の先生です。
　　→ **あの方は田中先生で、数学の先生です** 。

1．父は60歳です。　+　母は58歳です。
　　→＿＿＿＿＿＿＿＿＿＿＿＿＿＿＿＿＿＿＿＿＿＿＿＿＿。

2．わたしの部屋はせまいです。　+　わたしの部屋は汚いです。
　　→＿＿＿＿＿＿＿＿＿＿＿＿＿＿＿＿＿＿＿＿＿＿＿＿＿。

3．ヤンさんはハンサムです。　+　ヤンさんは明るい人です。
　　→＿＿＿＿＿＿＿＿＿＿＿＿＿＿＿＿＿＿＿＿＿＿＿＿＿。

4．あしたはいい天気でしょう。　+　あしたは暖かいでしょう。
　　→＿＿＿＿＿＿＿＿＿＿＿＿＿＿＿＿＿＿＿＿＿＿＿＿＿。

5．10年前わたしは学生でした。　+　わたしは京都に住んでいました。
　　→＿＿＿＿＿＿＿＿＿＿＿＿＿＿＿＿＿＿＿＿＿＿＿＿＿。

POINT ポイント1 形の変化 (Inflections ／ 形态的变化 ／ 형태 변화)

例	現在 Present 현재	現在否定 Present negative 현재 부정	過去 Past 과거	過去否定 Past negative 과거 부정
休み	－です	－では（じゃ）ありません	－でした	－では（じゃ）ありませんでした
静か	－です	－では（じゃ）ありません	－でした	－では（じゃ）ありませんでした
大き	－いです	－くないです －くありません	－かったです	－くなかったです －くありませんでした
買い	－ます	－ません	－ました	－ませんでした

問題1 （　）の中を適当な形にして、_____の上に書きなさい。

例　わたしは　**田中です**　　　　　。（田中です）

1．あしたは6日です。あさっては_____。（7日です）

2．大川：先週はどうでしたか。_____か。（忙しいです）

　　田中：いいえ、あまり_____。（忙しいです）

3．A：きのうはいい_____か。（天気です）

　　B：いいえ、あまりいい_____。（天気です）

4．むかし、この村はとても_____。（静かです）

　　今はあまり_____。（静かです）

5．うちには犬が3びきいます。みんなとても_____よ。（かわいいです）

6．A：あしたあなたは図書館へ_____か。（行きます）

　　B：いいえ、_____。（行きます）

7．A：きのう、だれか_____か。（来ます）

　　B：いいえ、だれも_____。（来ます）

8．A：今、辞書を何冊持って_____か。（います）

　　B：1冊も持って_____。（います）

9．わたしは毎日6時に起きます。きのうも6時に_____。（起きます）

　　しかし、日曜日は6時には_____。（起きます）

　　9時ごろ_____。（起きます）

10．A：あなたはきのうテレビを_____か。（見ます）

　　B：いいえ、_____。（見ます）

POINT ポイント2　ナ形容詞とイ形容詞の形の変化
(Inflection of "ナ" and "イ" adjectives
ナ形容词和イ形容词的形态变化 ／ ナ형용사와 イ형용사의 형태 변화)

	ナ形容詞（例　上手）	イ形容詞（例　おいしい・ほしい）
＋です	ヤンさんは絵が**上手**です。	このりんごは**おいしい**ですね。 わたしはお金が**ほしい**です。
＋名詞	絵が**上手な**人はヤンさんです。	これは**おいしい**りんごですよ。 今いちばん**ほしい**ものはお金です。
＋動詞 など	ヤンさんは絵を**上手に**かきます。	りんごが**おいしく**なりましたよ。 わたしはもっとお金が**ほしく**なりました。

＊1　～そう（様態）はナ形容詞と同じ活用をします。

　　"～そう" (manner/appearance/condition) inflects the same way as a "ナ" adjective.
　　～そう(样态)与ナ形容词的用法相同。／ ～そう (정황)은 ナ형용사와 같은 활용을 합니다.

　例　雨が**降りそうな**空ですよ。

＊2　～たい（希望）はイ形容詞と同じ活用をします。

　　"～たい" (hope/wish) inflects the same way as an "イ" adjective.
　　～たい(希望)与イ形容词的用法相同。／ ～たい (희망)은 イ형용사와 같은 활용을 합니다.

　例　わたしが今いちばん**行きたい**ところはドイツです。

問題2　（　　）の中を適当な形にして、＿＿＿＿の上に書きなさい。

例　これはとても　**便利な**　　道具ですね。（便利です）

1．あの人は＿＿＿＿＿＿＿道を教えてくれました。（親切です）
2．このケーキ、＿＿＿＿＿＿＿焼けましたね。（おいしいです）
3．わあ、＿＿＿＿＿＿＿ケーキですね。（おいしそうです）
4．むかし、わたしの家の近くに＿＿＿＿＿＿＿公園がありました。（小さいです）
5．口を＿＿＿＿＿＿＿開けて、＿＿＿＿＿＿＿声で歌ってください。（大きいです）
6．わたしはけさ、＿＿＿＿＿＿＿起きました。（遅いです）
7．愛子ちゃんはこのごろ＿＿＿＿＿＿＿なりましたね。（きれいです）
8．あしたはたぶん＿＿＿＿＿＿＿でしょう。（寒いです）
9．この問題はほんとうに＿＿＿＿＿＿＿ですね。（難しいです）
10．ここにはわたしの＿＿＿＿＿＿＿服はありません。（ほしいです）

POINT ポイント3 つなぐ形 (Conjunction pattern ／ 连接形态 ／ 연결형)

名詞文　　　これは日本語の教科書です。　＋　これは1,000円です。
　　　→これは日本語の教科書で、1,000円です。
　　　これは教科書ではありません。　＋　これは練習帳です。
　　　→これは教科書ではなくて、練習帳です。

ナ形容詞文　　この部屋は静かです。　＋　この部屋はきれいです。
　　　→この部屋は静かで、きれいです。
　　　わたしは子どものころ魚がきらいでした。　＋　わたしは肉が大好きでした。
　　　→わたしは子どものころ魚がきらいで、肉が大好きでした。

イ形容詞文　　このりんごは赤いです。　＋　大きいです。
　　　→このりんごは赤くて、大きいです。
　　　前のアパートは安くなかったです。　＋　買い物にも不便でした。
　　　→前のアパートは安くなくて、買い物にも不便でした。

問題3 （　）の中を適当な形にして、_____の上に書きなさい。

例　あの人は**イーさんで**、韓国の学生です。（イーさんです）

1．ジュンさんはいつも_____おもしろい人です。（元気です）
2．_____きれいな箱をください。（じょうぶです）
3．わたしの名前は_____、松下ですよ。（松本です）
4．ヤンさんは食べることが_____、カンさんは料理をすることが好きです。
　　　　　　　　　　　（好きです）
5．_____安いりんごはありませんか。（大きいです）
6．このシャツは色が_____、デザインが_____、値段が安いです。
　　　　　　　　　　（きれいです）　　　　（いいです）
7．リーさんのスピーチは、_____簡単でした。（短いです）
8．この説明書はあまり_____、写真が多いから、わかりやすいです。
　　　　　　　　　　（複雑です）

問題4 （　）の中を適当な形にして、_____の上に書きなさい。

きのうは文化の① _____ 、休日でした。先週はずっと② _____
　　　　　　　　（日です）　　　　　　　　　　　　　　　　　（忙しいです）

が、きのうは③ _____ 。
　　　　　　（ひまです）

わたしは10時ごろ図書館へ④ _____ 。図書室の中はとても静かでしたが、
　　　　　　　　　　　　　（行きます）

少し⑤ _____ 。
　　（寒いです）

わたしは2時間ぐらい本を⑥ _____ 。
　　　　　　　　　　　　（読みます）

それから公園を⑦ _____ 。
　　　　　　　（散歩します）

わたしはこの公園が⑧ _____ 、毎週この公園を⑨ _____ 。
　　　　　　　　　（好きです）　　　　　　　　　　（散歩します）

⑩ _____ 、⑪ _____ 公園です。
（広いです）　（静かです）

夕方、自分の部屋のそうじを⑫ _____ 。
　　　　　　　　　　　　　　（します）

部屋はとても⑬ _____ が、⑭ _____ そうじをしましたから、
　　　　　　（汚いです）　　（ていねいです）

⑮ _____ なりました。
（きれいです）

⑯ _____ 部屋は気持ちがいいです。
（きれいです）

夜、テレビを⑰ _____ 。
　　　　　　（見ます）

そして宿題を⑱ _____ 。
　　　　　　（します）

4課 活用2　動詞の3分類と「て形」・「た形」

Conjugation 2 : Three kinds of verbs and the "て" and "た" forms

活用2　动词的3种分类和"て形"、"た形"
활용2　동사의 3가지 분류와「て형」「た형」

TEST　スタートテスト

問題I　(　)の中の動詞を「て形」にして、＿＿＿＿の上に書きなさい。

例　わたしは朝、パンを __食べて__ 、コーヒーを飲みます。(食べます)

1．授業は9時に＿＿＿＿＿＿、3時に終わります。(始まります)
2．きのうは、高橋さんに＿＿＿＿＿＿、いろいろな話をして、それから買い物をしてうちに帰りました。(会います)
3．きょうは新しいぼうしを＿＿＿＿＿＿出かけます。(かぶります)
4．わたしは単語カードを＿＿＿＿＿＿新しいことばを覚えました。(作ります)
5．かぜを＿＿＿＿＿＿、きょうのテストは受けられませんでした。(ひきます)

問題II　(　)の中の動詞を「て形」または「た形」にして、＿＿＿＿の上に書きなさい。

1．すみません。電気を＿＿＿＿＿＿ください。(消します)
2．＜くつ屋で＞A：どうですか。このくつ。
　　　　　　　　B：そうですね。ちょっと＿＿＿＿＿＿みます。(はきます)
3．わたしのうちには、今、＿＿＿＿＿＿ばかりの子犬が5ひきいます。
　　　　　　　　　　　　　(生まれます)
4．はじめに説明書をよく＿＿＿＿＿＿から、使ってください。(読みます)
5．コンタクトレンズを＿＿＿＿＿＿まま海で泳ぎましたが、だいじょうぶでしたよ。
　　　　(つけます)

POINT ポイント1　動詞の3分類

グループ	辞書形	例	～ます	例
動詞1 （5段動詞）	ウ段	買う 書く 出す	イ段＋ます	買います 書きます 出します
動詞2 （1段動詞）	イ段＋る＊1	見る いる 起きる	イ段＋ます	見ます います 起きます
	エ段＋る＊2	食べる 寝る	エ段＋ます	食べます 寝ます
動詞3 （不規則動詞）		来る する		来ます します

＊1　例外　切る　知る　走る　入る　など→動詞1

＊2　例外　帰る　すべる　など→動詞1

問題1　次の動詞のグループ分けをしなさい。

動詞1	**行く**
動詞2	**見る**
動詞3	

行く　　待つ　　来る　　開ける
切る　　閉める　作る　　泳ぐ
借りる　（家に）いる　覚える
考える　会う　　呼ぶ　　そうじする
話す　　休む　　降りる　答える
見る

POINT ポイント2 「て形」の作り方

グループ	辞書形	て形の作り方	て形	た形
動詞1	会う	〜って	会って	会った
	立つ		立って	立った
	とる		とって	とった
	行く（例外）		行って	行った
	書く	〜いて	書いて	書いた
	泳ぐ	〜いで	泳いで	泳いだ
	出す	〜して	出して	出した
	死ぬ	〜んで	死んで	死んだ
	呼ぶ		呼んで	呼んだ
	飲む		飲んで	飲んだ
動詞2	見る	〜る+て	見て	見た
	寝る		寝て	寝た
動詞3	来る		来て	来た
	する		して	した

問題2　「て形」「た形」を書きなさい。

辞書形	て形	た形
行く		
泣く		
話す		
待つ		
遊ぶ		
読む		
いる		
食べる		
来る		
する		

POINT ポイント3　「て形」を使う文型　「た形」を使う文型

A　て形　+　……

文型	例文
〜て	①うちの犬はよく食べて、よく寝ます。(二文の並列) 　(Parallel arrangement of two clauses)（两句的并列）（2문장의 병렬） ②夜、本を読んで、手紙を書いて、寝ました。(順次動作) 　(Sequential actions)（动作的顺序）（순차적 동작） ③母はいつも立ってテレビを見ます。(動作の様子) 　(State of action)（动作的状态）（동작의 모습） ④何回も紙に書いて単語を覚えました。(方法) (Means)（方法）（방법） ⑤熱があって、起きられません。(原因) (Cause)（原因）（원인）
〜てください	どうぞ、すわってください。
〜てから	説明書をよく読んでから使います。
〜てもいい	ここでお弁当を食べてもいいですか。
〜てはいけない	ここにごみを捨ててはいけません。
〜てしまう	①あのおかしはもう全部食べてしまいましたか。(完了) 　(Completion)（完成）（완료） ②新しいコーヒーカップを割ってしまいました。(残念な気持ち) 　(Feeling of regret)（遺憾的心情）（유감스러운 기분）
〜ておく	ホテルを予約しておきます。
〜てみる	服を買う前に着てみます。

その他（それぞれの課で学習します）

〜てある	→12課	あそこにあなたの名前が書いてありますよ。
〜てくる 〜ていく	→11課	寒くなってきましたね。 子どもはどんどん大きくなっていきますよ。
〜ている	→10課	①リーさんは今、音楽を聞いています。 ②空に星が出ていますね。
〜てあげる 〜てもらう 〜てくれる	→16課	ヤンさんは、スミスさんに漢字を教えてあげました。 わたしは中山さんに仕事を手伝ってもらいました。 きょうは田中さんが料理を作ってくれます。

B　た形　+　……

～たことがある	あなたは富士山に登ったことがありますか。
～たり～たり	日曜日にはテレビを見たり散歩をしたりします。 電気がついたり消えたりしています。
～た後で	ジョギングをした後で、冷たいビールを飲みました。
～たほうがいい	頭が痛いのですか。じゃあ、早く帰ったほうがいいですよ。
～たまま	スリッパをはいたままたたみの部屋に入らないでください。
～たところだ	今、空港に着いたところです。今からそちらに行きます。
～たばかりだ	わたしは日本に来たばかりなので、まだ日本語が下手です。

問題3　（　）の中の動詞を適当な形にして、＿＿＿の上に書きなさい。

1．お客さまが来るから、ビールを＿＿＿＿＿おきましょう。（冷やす）
2．わたしの部屋のかべには花のカレンダーが＿＿＿＿＿あります。（はる）
3．わたしは一度だけ東京ディズニーランドへ＿＿＿＿＿ことがあります。（行く）
4．ゆうべは暑かったので、窓を＿＿＿＿＿まま寝てしまいました。（開ける）
5．これ、わたしの国のおかしです。＿＿＿＿＿みてください。（食べる）
6．さっき昼ご飯を＿＿＿＿＿ばかりなのに、もうおなかがすいてしまいました。
　　　　　　　（食べる）
7．わたしはずっと一人でこの子を＿＿＿＿＿きました。（育てる）
8．授業が＿＿＿＿＿ところです。もうすぐ学生たちが教室から出てきます。
　　　（終わる）
9．パーティーにはいろいろな国の人が来て、歌を＿＿＿＿＿り、＿＿＿＿＿り
　しました。　　　　　　　　　　　　　　　　　（歌う）　　　（おどる）
10．子どもたちが＿＿＿＿＿後で、ゆっくりビデオを見ましょう。（寝る）
11．ここでたばこを＿＿＿＿＿もいいですか。（吸う）
12．これからこの国の人口も＿＿＿＿＿いくのでしょうか。（減る）
13．あの人はさっきからドアの前を＿＿＿＿＿り＿＿＿＿＿りしていますよ。
　　　　　　　　　　　　　　　　（行く）　　　（来る）
14．あ、こんなところにさいふが＿＿＿＿＿いますよ。（落ちる）
15．準備運動を＿＿＿＿＿から、プールに入ってください。（する）

16. 疲れたようですね。少し_____ほうがいいですよ。(休む)
17. バスが_____しまったので、タクシーで帰りました。(行く)
18. すみません、ここに荷物を_____はいけませんか。(置く)
19. 弟が朝_____まま、まだ帰りません。(出かける)
20. 先週わたしはかぜを_____、会社を休みました。(ひく)

5課 動詞の活用と文型

Verbal conjugation and sentence patterns

动词的活用与句型
동사의 활용과 문형

TEST　スタートテスト

問題　「食べる」を適当な形にして、＿＿＿＿の上に書きなさい。

例　ご飯を　**食べる**　前に手を洗いましょう。

1．毎朝、朝ご飯を＿＿＿＿＿ながら、テレビのニュースを見ます。
2．花子さんは昼ご飯を＿＿＿＿＿に、アパートへ帰りました。
3．犬がご飯を＿＿＿＿＿たがっていますよ。
4．とうふは体にいいと聞きました。きょうから毎日とうふを＿＿＿＿＿ことにしました。
5．わたしは前はあまいものは食べませんでしたが、このごろはよく＿＿＿＿＿ようになりました。
6．料理をおいしく＿＿＿＿＿ためには、いいお皿を使いましょう。
7．これ、わたしのケーキですよ。後で食べますから、＿＿＿＿＿でください。
8．そんなにあまいものばかり＿＿＿＿＿ほうがいいですよ。
9．この魚料理を＿＿＿＿＿のに、はしを使いますか、ナイフとフォークを使いますか。
10．A：もう昼ご飯を食べましたか。
　　B：いいえ、これから＿＿＿＿＿ところです。

POINT ポイント1　動詞の活用

つながる形	動詞1 例　読む	動詞2 例　見る	動詞2 例　食べる	動詞3 来る	動詞3 する
〜ない＊	読まない	見ない	食べない	来ない	しない
〜ます	読みます	見ます	食べます	来ます	します
辞書形	読む	見る	食べる	来る	する
〜ば	読めば	見れば	食べれば	来れば	すれば
命令の形	読め	見ろ	食べろ	来い	しろ
〜う・よう	読もう	見よう	食べよう	来よう	しよう

＊例外　ある→ない

問題1　適当な形を書きなさい。

〜ない	買わない			
〜ます			寝ます		します
辞書形		行く		いる	

〜ない	遊ばない			
〜ます			入れます		来ます
辞書形		ある		着る	

POINT ポイント2 「ます形」につながる文型と「辞書形」につながる文型

A　ます形　+　……

～ましょう	→8課	みなさん、がんばりましょう。
～ませんか	→8課	①あの店でコーヒーを飲みませんか。 ②あしたわたしのうちへ来ませんか。
～ましょうか	→8課	その荷物、わたしが持ちましょうか。
～に行く・来る		デパートへくつを買いに行きます。
～たい	→9課	わたしはジュースが飲みたいです。
～たがる	→9課	うちの子は外で遊びたがっています。
～ながら		テレビを見ながら、ご飯を食べます。
～そうだ		雨が降りそうです。
～なさい		早く起きなさい。

B　辞書形　+　……

～ことができる	→13課	田中さんは4か国語を話すことができます。
～前に		パンを食べる前に、手を洗いましょう。
～まで		バスが来るまで、ここで待ちましょう。
～ところだ		わたしはこれから出かけるところです。
～な	→8課	たばこを吸うな。
～ようになる		このごろ日本語がわかるようになりました。
～ため（に）		わたしは日本経済を勉強するため、日本へ来ました。
～のに		テープレコーダーは会話の勉強をするのに便利です。

問題2 （　）の中の動詞を適当な形にして、＿＿＿＿の上に書きなさい。

1．ヤンさんは友だちに＿＿＿＿＿に新宿へ行きました。（会う）
2．あ、シャツのボタンが＿＿＿＿＿そうですよ。（とれる）
3．＿＿＿＿＿前に、かぎをかけたかどうかよく見てください。（出かける）
4．わたしはいつも音楽を＿＿＿＿＿ながら、勉強します。（聞く）
5．新しい生活を＿＿＿＿＿ために、いろいろなものを買いました。（始める）
6．あなたの仕事が＿＿＿＿＿まで、わたしはここで本を読んでいます。（終わる）
7．今からおふろに＿＿＿＿＿ところですから、後で電話します。（入る）
8．このはさみは花を＿＿＿＿＿のに使います。（切る）
9．新しいパソコンが＿＿＿＿＿たいです。（買う）
10．この辺の海は危険ですから＿＿＿＿＿ことはできません。（泳ぐ）
11．新しいめがねを買いました。小さい字もよく＿＿＿＿＿ようになりました。（見える）
12．弟はオートバイに＿＿＿＿＿たがっています。（乗る）
13．たろう、自分のシャツは自分で洗たくを＿＿＿＿＿なさい。（する）
14．こら！ここにごみを＿＿＿＿＿な。（捨てる）
15．これ、安いですよ。どうですか。＿＿＿＿＿ませんか。（買う）
16．天気がいいから駅まで＿＿＿＿＿ましょう。（歩く）
17．あなたもわたしたちのクラブに＿＿＿＿＿ませんか。（入る）

POINT ポイント3 「辞書形」または「ない形」につながる文型

「辞書形」または「ない形」＋ ……

～と　　　　　　→15課	ここにお金を入れると切符が出てきます。 めがねをかけないとよく見えません。
～つもりだ　　　→9課	わたしは日曜日に山へ行くつもりです。 わたしはもう医者へは行かないつもりです。
～ことになる	学校の旅行で、京都へ行くことになりました。 今年は、運動会は行わないことになりました。
～ことにする	わたしはきょうから毎日運動をすることにしました。 わたしはもう彼には会わないことにしました。
～ように（言う）	父はわたしに本をたくさん読むように（と）言いました。 あの人にあまりお酒を飲まないように言ってください。
～ことがある	母はこのごろ大切なことを忘れることがあるんです。 わたしはときどき昼ご飯を食べないことがあります。
～ように	よく聞こえるようにゆっくり話してください。 かぜをひかないように気をつけてください
～でください（「ない形」だけ）	ここにごみを捨てないでください。

問題3　（　）の中の動詞を「辞書形」か「ない形」にして、＿＿＿の上に書きなさい。

1．危ないですよ。＿＿＿＿＿ように気をつけてください。（転ぶ）
2．先生にあした必ず宿題を＿＿＿＿＿ように言われました。（出す）
3．はっきり＿＿＿＿＿ように大きい声で話しましょう。（聞こえる）
4．わたしはお酒を＿＿＿＿＿と顔が赤くなります。（飲む）
5．きょうからはたばこは＿＿＿＿＿ことにしました。（吸う）
6．わたしたちは来月大阪へ＿＿＿＿＿ことになりました。（引っ越す）
7．将来はわたしが母といっしょに＿＿＿＿＿つもりです。（住む）
8．危ないですから、電車の窓から顔を＿＿＿＿＿でください。（出す）
9．わたしは高いものは＿＿＿＿＿ようにしています。（買う）
10．松田さんは呼んでも返事を＿＿＿＿＿ことがあります。（する）

6課 ふつう形

Plain form
普通体
일반형

TEST スタートテスト

問題 （　）の中を適当な形にして、＿＿＿の上に書きなさい。

1. あ、東京駅へ＿＿＿＿＿＿バスが来ましたよ。（行きます）
2. みちこさんはきょうはパーティーに＿＿＿＿＿＿でしょう。（来ません）
3. ＿＿＿＿＿＿のに、リーさんは来ませんでした。（約束しました）
4. リーさんはきのう家に＿＿＿＿＿＿かもしれません。（いませんでした）
5. この本はちょっと＿＿＿＿＿＿と思います。（難しいです）
6. たろう：お父さんはお酒を飲まないね。どうして？
　　父　：体に＿＿＿＿＿＿からだよ。（よくないです）
7. きのうの夜はとても＿＿＿＿＿＿ので、よく眠れませんでした。
　　　　　（暑かったです）
8. 天気予報によるとあしたは＿＿＿＿＿＿そうですよ。（雨です）
9. A：先生、マキさんはむかし、作文が上手でしたか。
　　B：さあ、20年も前の学生ですから＿＿＿＿＿＿かどうか覚えていません。
　　　　　　　　　　　　　　　　　（上手でした）
10. A：あれ、新しい車を＿＿＿＿＿＿んですか。（買いました）
　　B：いえ、これは友だちから＿＿＿＿＿＿んです。（借りました）

POINT ポイント1　ていねい形とふつう形 (Polite form and plain form ／ 礼貌体与普通体 ／ 정중한 형태와 일반형)

ていねい形→「です・ではありません」「ます・ません」などがつく形のことです。
ふつう形→「です」「ます」などがつかない形で、ある決まった文型（ポイント2，3，4）の中で使われる形のことです。基本形、文中形、plain formなどとも言います。

例　①わたしは［　　　　　　　　　］と思います。
　　　　　　　　　　↑
　　②　［トニーはわたしを愛しています。］

①＋②＝わたしはトニーはわたしを愛していると思います。

	ていねい形	ふつう形
動詞	行きます	行く
	行きません＊	行かない
	行きました	行った
	行きませんでした＊	行かなかった
イ形容詞	大きいです	大きい
	大きくないです・大きくありません	大きくない
	大きかったです	大きかった
	大きくなかったです・大きくありませんでした	大きくなかった
名詞 ナ形容詞	元気・子どもです	元気・子どもだ
	元気・子どもでは（じゃ）ありません	元気・子どもでは（じゃ）ない
	元気・子どもでした	元気・子どもだった
	元気・子どもでは（じゃ）ありませんでした	元気・子どもでは（じゃ）なかった

＊例外　ありません→ない　　ありませんでした→なかった

問題1　ふつう形を書きなさい。

ていねい形	ふつう形	ていねい形	ふつう形
見ます		楽しいです	
しません		おいしくなかったです	
来ました		きれいでした	
いませんでした		ひまじゃありませんでした	
できました		学生でした	

POINT ポイント2　ふつう形を使う文型①　引用・伝聞
(Reported speech and hearsay／引用、传闻／인용・전문)

田中さんは言いました。「わたしは来年結婚します。」
　→田中さんは「わたしは来年結婚します。」と言いました。
　→田中さんは~~田中さんは~~来年**結婚する**と言いました。
わたしは思います。「これはいい本です。」
　→わたしはこれはいい**本だ**と思います。
妹の手紙に書いてありました。「お父さんはこのごろ元気がありません。」
　→妹の手紙によると<u>父</u>はこのごろ元気が**ない**そうです。

問題2　2つの文を1文にしなさい。

例　木村さんは言いました。「あの店のパンはおいしいですよ。」
　→木村さんは　**あの店のパンはおいしい**　と言いました。

1．わたしは思います。「マリさんはやさしい人です。」
　→わたしは＿＿＿＿＿＿＿＿＿＿＿＿＿＿＿＿＿＿＿＿＿＿と思います。

2．わたしは手紙に書きました。「先週引っ越しました。」
　→わたしは手紙に＿＿＿＿＿＿＿＿＿＿＿＿＿＿＿＿＿＿と書きました。

3．みんなが思っています。「敬語は簡単ではありません。」
　→みんなが＿＿＿＿＿＿＿＿＿＿＿＿＿＿＿＿＿＿＿＿と思っています。

4．医者は言いました。「入院しなくてもいいです。」
　→医者は＿＿＿＿＿＿＿＿＿＿＿＿＿＿＿＿＿＿＿＿＿と言いました。

5．ニュース「けさ中央線で事故がありました。」
　→ニュースによると、＿＿＿＿＿＿＿＿＿＿＿＿＿＿＿そうです。

6．中田さんの話「わたしの弟は有名な歌手でした。」
　→中田さんの話では＿＿＿＿＿＿＿＿＿＿＿＿＿＿＿＿そうです。

7．愛子さんはわたしに言いました。「あなたのお母さんに会いたいです。」
　→愛子さんは、＿＿＿＿＿＿＿＿＿＿＿＿＿＿＿＿＿＿と言いました。

8．わたしは考えています。「みんなの力で戦争をやめさせなければなりません。」
　→わたしは、＿＿＿＿＿＿＿＿＿＿＿＿＿＿＿＿＿＿＿と考えています。

POINT ポイント3　ふつう形を使う文型② 名詞修飾
(Modification of nouns ／ 名词修饰 ／ 명사 수식)

かばん はわたしのです。
　↑
　机の上にあります

机の上にある かばん はわたしのです。

わたしは レポート を社長に見せました。
　　　　　　↑
　　　　　　わたしがきのう書きました

わたしは (わたしが) きのう書いた レポート を社長に見せました。

＊名詞を説明する文の中の主語は「が」または「の」で表します。
　　"が" or "の" are used to show the subject in the sentence modifying a noun.
　　说明名词的句中的主语用"が"或"の"表示。
　　명사를 설명하는 문장속에서의 주어는 「が」 또는 「の」로 표기합니다.

×妹は作ったケーキを食べてみてください。

○妹が（の）作ったケーキを食べてみてください。

問題3　（　）の中を適当な形にして、＿＿＿＿の上に書きなさい。

例　あ、東京駅へ　**行く**　　　　　バスが来ましたよ。（行きます）

1．これはわたしが＿＿＿＿＿＿＿＿パンです。（作りました）

2．顔を＿＿＿＿＿＿＿＿せっけんはありませんか。（洗います）

3．あそこに＿＿＿＿＿＿＿＿人はワットさんです。（立っています）

4．わたしが＿＿＿＿＿＿＿＿ところはとても静かです。（住んでいます）

5．先週、見学に＿＿＿＿＿＿＿＿所はどこですか。（行きました）

6．子どものころいちばん＿＿＿＿＿＿＿＿ものは何ですか。（ほしかったです）

7．わたしは本を＿＿＿＿＿＿＿＿とき、めがねをかけます。（読みます）

8．アルバイトが＿＿＿＿＿＿＿＿日は何曜日ですか。（できません）

9．10年前わたしが＿＿＿＿＿＿＿＿ことを覚えていますか。（言いました）

10．きのう＿＿＿＿＿＿＿＿人はだれとだれですか。（来ませんでした）

POINT ポイント4　ふつう形を使う文型③　～の（ん）です

「～の（ん）です」を使う場面
(Situations when "～の（ん）です" is used ／ 使用"～の（ん）です"的场合 ／「～の（ん）です」를 사용하는 장면)

（1）見たり聞いたりしたことから判断したことを確認したいとき
（2）事情や理由を説明するとき
（3）説明を求めるとき

(1) When confirming one's judgement basesd on what one has seen or heard
(2) When explaining circumstances or reasons
(3) When seeking explanation
(1) 希望确认从看到或听到的情况判断的事项时
(2) 说明情况和理由时
(3) 要求说明时
(1) 보고 들은 것을 통하여 판단한 것을 확인하고자 할 때
(2) 사정이나 이유를 설명할 때
(3) 설명을 요구할 때

A：あれ、どこか外国へ行く**ん**ですか。大きいかばんを持って……。（1）

B：ええ、急にフランスへ行くことになった**ん**です。（2）

A：どうした**ん**ですか。フランスで何かあった**ん**ですか。（3）

B：ええ、パリの店の手伝いな**ん**です。（2）

＊名詞とナ形容詞　～だ→なんです

問題4　「～んです」を使って、会話文を作りなさい。

1．A：Bさん、おはよう。きょうは早いですね。
　　B：ええ、7時の新幹線に＿＿＿＿＿＿＿＿＿＿。（乗ります）

2．A：熱心にテレビを見ていますね。そんなに＿＿＿＿＿＿か。（おもしろいです）
　　B：ええ、すごくおもしろいですよ。

3．A：あれ、いちごを食べないんですね。＿＿＿＿＿＿＿＿＿か。（きらいです）
　　B：いえ、最後にゆっくり＿＿＿＿＿＿＿＿。（食べたいです）

4．A：すみません。お願いしたいことが＿＿＿＿＿が、今いいですか。（あります）
　　B：いえ、今ちょっと＿＿＿＿＿＿＿＿＿。（忙しいです）

5．A：田中さん、遅いですね。ここで会うと＿＿＿＿＿＿＿か。（約束しました）
　　B：ええ、店の入り口で会おうと＿＿＿＿＿＿＿＿＿。（言いました）

POINT ポイント5　ふつう形を使う文型④

その他の文型

～からだ	A：どうしてあの人は怒っているんですか。 B：あなたがうそを言ったからですよ。
～し	雨も降っているし時間もないし、タクシーで行きましょう。
～でしょう *1	あの人はきょう車で来たから、お酒は飲まないでしょう。 ＜天気予報＞あしたは雨でしょう。
～か（どうか） *1	山口さんが今どこに住んでいるか知っていますか。 来週ひまかどうかまだわかりません。
～かもしれない *1	5年も会っていませんが、ゆみこさんはもう結婚したかもしれません。 雲が多いですね。きょうはかさが必要かもしれませんよ。 すごく寒いですね。今夜は雪が降るかもしれませんよ。
～らしい *1	田中さんは出かけたらしいです。留守番電話になっていましたから。 林さんの話によると、彼女の仕事は大変らしいですよ。
～ので *2	きょうはとても忙しかったので疲れました。 この子はまだ4歳なので、字は読めません。
～のに *2	5時に来ると約束したのに、彼女は来ませんでした。 わたしはワインが大好きなのに、車で来たからきょうは飲めません。
～ようだ *3	この魚、ちょっと古いようですよ。いやなにおいがしますね。 星がたくさん見えます。あしたはいい天気のようです。
～ため（に） *3	パソコンが壊れたため、レポートが間に合いませんでした。 大雪のために電車が遅れています。
～はずだ *3	変だなあ、携帯はちゃんとかばんの中にあるはずだけど……。 隣のうちの娘さんはおととし高校を卒業したから、今年二十歳のはずです。

*1　例外　名詞・ナ形容詞～<s>だ</s>

*2　例外　名詞・ナ形容詞～<s>だ</s>＋な

*3　例外　名詞～<s>だ</s>＋の　ナ形容詞～<s>だ</s>＋な

問題5　（　）の中を適当な形にして、_____の上に書きなさい。

1．＜パーティーの会場で＞

A：Bさん、田中さんはきょう①_____でしょうか。
　　　　　　　　　　　　　　　　（来ます）

B：さあ、②_____かもしれませんよ。かぜを③_____らしいです。　（来ません）　　　　　　　　　　　　　（ひきました）

A：そうですか。おとといとても④_____のに、遅くまで外で仕事を
　　　　　　　　　　　　　　（寒かったです）

⑤_____からでしょう。
（していました）

B：今、どこに⑥_____か、電話して聞いてみましょうか。
　　　　　　　（います）

A：いえ、来られないときは、田中さんは必ず⑦_____はずです。
　　　　　　　　　　　　　　　　　　　　　　（連絡します）

2．＜川田さんへの手紙＞

川田さん、お手紙ありがとうございました。①_____ようで安心しました。
　　　　　　　　　　　　　　　　　　　　（お元気です）

お手紙を②_____のに、すぐ返事を書かなくてすみません。
　　　　　（いただきました）

先週は宿題も③_____し、試験も④_____ので、とても忙し
　　　　　　（多かったです）　　　　（ありました）

かったのです。

それに、今は夜、アルバイトを⑤_____ため、時間が⑥_____
　　　　　　　　　　　　　（しています）　　　　　　（ありませんでした）

のです。

でも、来月は少しひまに⑦_____はずですから、⑧_____か
　　　　　　　　　　（なります）　　　　　　　　　（会えます）

もしれませんね。楽しみにしています。

シンより

— 38 —

■ コラム

大切な副詞① 次の副詞は使える文に制限があります。 制限 restriction ／ 限制 ／ 제한

1. 否定の文といっしょに使うもの　否定 negation ／ 否定 ／ 부정
    あまり　　　きょうはあまり寒くないですね。
    ぜんぜん　　日本語がぜんぜんわかりません。
    なかなか　　なかなかバスが来ませんね。
    少しも　　　この本、難しくて少しもわかりません。
    決して　　　もう決して悪いことはしません。
    一～も　　　わたしはまだ一度も京都へ行ったことがありません。
    　　　　　　この町には本屋が一軒もありません。
    　　　　　　クラスに二十歳以下の人は一人もいません。

2. 過去を表す文といっしょに使うもの　過去 past ／ 过去 ／ 과거
    たった今　　バスはたった今出てしまいました。
    さっき　　　山中さんはさっき帰りました。
    このあいだ　このあいだ駅で本田さんに会いました。

3. 近い過去から現在までのことを表す文といっしょに使う。 現在 present
    　　　　　　　　　　　　　　　　　　　　　　　　　　　现在 ／ 현재
    このごろ　　田中さんはこのごろよく遅刻しますね。
    最近　　　　最近少し太りました。／最近星がきれいに見えますね。

4. 未来を表す文といっしょに使うもの　未来 future ／ 将来 ／ 미래
    もうすぐ　　父はもうすぐ帰ってきます。
    これから　　わたしはこれから体育館へ行きます。
    そろそろ　　そろそろ出かけましょうか。
    いつか　　　今は小さいけれど、この子もいつか大人になります。

— 39 —

7課 こ・そ・あ 自分と相手との関係

Relative positions of the speaker and the listener

自己和对方的关系
자신과 상대방과의 관계

TEST スタートテスト

問題Ⅰ 絵を見て、「この その あの」「これ それ あれ」「ここ そこ あそこ」を書き入れなさい。

① ＿＿＿旗まで もう少しですよ
② 疲れたから わたしは＿＿＿で 休みます
③ ＿＿＿ぼうしは だれのですか
④ ＿＿＿は わたしのです
⑤ ＿＿＿まで 走っていこう
⑥ え！＿＿＿まで？

問題Ⅱ 適当なことばを選びなさい。

1. ＜携帯電話で＞

   兄：もしもし。

   妹：もしもし、あ、兄さん、今どこにいるの？ ｛ここ　そこ　あそこ｝はどこ？

   兄：今、東京駅。｛ここ　そこ　あそこ｝は北口の改札口だよ。

2. ＜雑誌を見ながら＞

   父：ほら、見て、｛この　その　あの｝人。前に新幹線の中で会ったんだよ。

   娘：｛この　その　あの｝話、前にも聞いたよ。

3. A：きのう、デパートで会った林さんのことだけど……。

   B：ええ、｛この　その　あの｝人、ずいぶんうれしそうでしたね。

   A：ええ、わたしも｛こんなに　そんなに　あんなに｝うれしそうな林さんは初めて見ましたよ。

4. ＜いっしょに映画を見る前に＞

   A：｛この　その　あの｝映画、おもしろそうだね。

   B：ええ、｛これ　それ　あれ｝は アカデミー賞をとったのよ。

5. お正月に国へ帰って、友だちに会いました。｛この　その　あの｝友だちも日本に留学したいと言っていました。

| POINT | ポイント1 | 「こ・そ・あ」の使い方　その場で、ものや人を指して話すとき |

(How to use "こ", "そ", "あ". When speaking while pointing out something or someone on the spot
"こ、そ、あ"的用法　在当场指着物或人说话时　／「こ・そ・あ」의 사용 방법　그 장소에서 사람이나 사물을 가리켜 이야기할 때)

（1）話す人と相手が同じ領域にいるとき

　　話す人と相手の共通の領域にあるもの→「こ」

　　When the speaker and the listener are in the shared area:
　　When referring to something located near the shared area "こ" is used.
　　说话人和对方在同一场所时　属于说话人与对方的相同场所的物品→"こ"
　　이야기하는 사람과 상대방이 같은 영역에 있을 때
　　이야기하는 사람과 상대방의 공통 영역에 있는 사물→「こ」

　　A：これはあなたの本ですか。

　　B：いいえ、これはリンさんのです。

（2）話す人と相手が対立する領域にいるとき

　　話す人の領域のもの→「こ」、相手の領域のもの→「そ」

　　When the speaker and the listener are in areas opposite to each other : When referring to something located in the speaker's area "こ" is used. When referring to something located in the listener's area "そ" is used.
　　说话人与对方在不同场所时　说话人一侧的物品→"こ"，对方一侧的物品→"そ"
　　이야기하는 사람과 상대방이 대립하는 영역에 있을 때
　　이야기하는 사람의 영역의 사물→「こ」, 상대방의 영역의 사물→「そ」

　　A：これはだれのですか。

　　B：それはリンさんのです。

（3）話す人と相手が同じ領域にいて、二人が外の領域のものを指しているとき

　　話す人と相手が共通に見ている領域のもの→「あ」

　　When the speaker and the listener are in the shared area and they refer to something located outside the area : When referring to something located in the area that the two see in common, "あ" is used.
　　说话人与对方在同一场所，两人所指的为其他地方的物品时　说话人与对方一起看着的场所的物品→"あ"
　　이야기하는 사람과 상대방이 같은 영역에 있으며, 2명이 외부 영역의 사물을 가리키고 있을 때
　　이야기하는 사람과 상대방이 공통으로 보이는 영역의 사물→「あ」

　　A：あそこでちょっと休みましょう。

　　B：ええ、あの木の下がいいですね。

問題1　適当なことばを選びなさい。

1．＜Bさんの部屋で＞

　　A：わあ、いい部屋ですね。｛この　その　あの｝部屋にあなた一人で住んでいるんですか。

　　B：ええ、｛ここ　そこ　あそこ｝は便利ですよ。

2．＜いっしょに音楽を聞きながら＞

　　A：あ、｛この　その　あの｝歌、どこかで聞いたことがある。

　　B：ああ、｛これ　それ　あれ｝は「花」という歌よ。

3．＜デパートで＞

　　A：あら、｛ここ　そこ　あそこ｝にいる人、山中さんですよね。

　　B：え？ビルの上の？｛この　その　あの｝人は山中さんじゃありませんよ。

4．＜電話で＞

　　A：もしもし、今、駅に着いたところです。｛ここ　そこ　あそこ｝からお宅までどう行けばいいですか。

　　B：あ、｛ここ　そこ　あそこ｝で待っていてください。すぐ迎えに行きますから。

5．＜Aが着ている服を指して＞

　　A：見てください。｛この　その　あの｝服、姉が作ったんです。

　　B：じゃ、｛これ　それ　あれ｝はお姉さんからのプレゼントですね。

6．＜コーヒーショップで　二人でケーキを食べながら＞

　　A：｛この　その　あの｝コーヒーおいしい。あなたのケーキもおいしそうですね。

　　B：ええ、でも、｛この　その　あの｝ケーキもきれいで、おいしそうじゃありませんか。

7．旅行会社の人：みなさん、｛こちら　そちら　あちら｝に見えるのが金時山でございます。

　　旅行者　　　：ああ、｛これ　それ　あれ｝が金時山ですか。

8．＜教室で、テストを見ながら＞

　　A：ああ、困った。｛こんな　そんな　あんな｝点数をとってしまった。もう、勉強はいやだなあ。

　　B：｛こんな　そんな　あんな｝こと言わないで、またがんばりましょう。

POINT ポイント2　話の中に出てくる「こ・そ・あ」
("こ", "そ", "あ" in conversations / 谈话中出现的"こ、そ、あ" / 대화속에 나오는「こ・そ・あ」)

（1）会話の場合　In conversations ／ 会话时 ／ 회화의 경우

a．話す人も、相手も共通に知っているもの→「あ」

a. When referring to something known to both the speaker and the listener, "あ" is used.
a. 说话人与对方都知道的事物→"あ"
a. 이야기하는 사람이나 상대방이 공통으로 알고 있는 사물→「あ」

　　　A：きのう駅前の花屋で花を買ったんだけど……。

　　　B：ああ、あの店ね。あそこは、店員さんが親切だね。

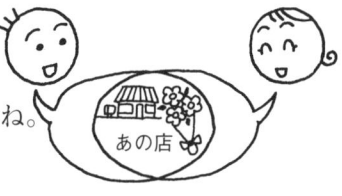

b．a以外→「そ」

b. In cases other than a. above, "そ" is used. ／ b. a以外的情况→"そ" ／ b. a 이외→「そ」

（2）一人で話す場合
When someone speaks independently (as in a lecture) ／ 一个人说话时 ／ 한 사람이 이야기할 경우

話す人の話の中に出てくるもの→「そ」
When referring to something appearing in his/her talk, "そ" is used.
说话人的话语中出现的物品→"そ"
이야기하는 사람의 이야기속에 나오는 사물→「そ」

　　　弟は今パン屋でアルバイトをしています。

　　　そのパン屋のパンはとてもおいしいんです。

＊ただし、話をする人にとって身近なこと、特別な関心や感情を持っていることには「こ」を使うことが多い。

However, when referring to something familiar to the speaker, or in which he or she has a special interest or feeling, "こ" is used rather frequently.
但是，说话人身边的事，特别关心，或有特殊感情的事多用"こ"。
단, 이야기를 하는 사람에게 가까운 것, 특별한 관심이나 감정을 가지고 있는 것에는「こ」를 사용하는 경우가 많다.

　　　わたしの娘の名前はゆり子です。この子は今、幼稚園に通っています。

問題2　適当なことばを選びなさい。

1. ＜思い出しながら＞

    A：おととし、いっしょに箱根へ行ったでしょう。{これ　それ　あれ} は6月でしたよね。

    B：いいえ、8月ですよ。{この　その　あの} 日はとても暑かったからよく覚えています。

2. A：わたしの高校のときの友だちに中山ひとみという人がいました。きのう駅で {この　その　あの} 人に会ったんです。

    B：へえ、{この　その　あの} 人には久しぶりに会ったの？

3. きのうインド料理のレストランへ行きました。{ここ　そこ　あそこ} でカレーを食べて、{この　その　あの} 後、ビデオ屋に行きました。ほら、覚えているでしょう、去年いっしょに見たアメリカの映画。{これ　それ　あれ} はおもしろかったですね。もう一度見たいと思っていたんです。

問題3　適当なことばを選びなさい。

1. ＜日本料理屋で＞

    A：いい店ですね。よく ①{ここ　そこ　あそこ} へ来るんですか。

    B：ええ、②{この　その　あの} 店へはもう5回来ました。むかし、駅の前にすし屋があったでしょう。

    A：ええ、ありましたね。

    B：③{この　その　あの} 店の息子さんが ④{ここ　そこ　あそこ} に新しく店を開いたんですよ。

    A：へえ、息子さんがいたんですか。⑤{この　その　あの} 息子さんは今何歳ですか。

    B：40歳ぐらいだと思います。彼の子どもがうちの子どもと友だちなんです。事務の田中さん、知っているでしょう？ ⑥{この　その　あの} 人のおじょうさんも同じクラスなんです。田中さんも ⑦{ここ　そこ　あそこ} の魚料理はおいしいと言っていましたよ。

    A：ええ、⑧{この　その　あの} 料理、ほんとうにおいしいですね。

2．＜Bさんの引っ越しの荷物を箱に入れながら＞

　　A：あ、重い。①｛これ　それ　あれ｝は一人では持てません。②｛こんなに　そんなに　あんなに｝重いとは思いませんでした。

　　B：本が入っているんですよ。③｛この　その　あの｝部屋は広いから本がたくさんあるんです。

　　A：じゃ、半分に分けましょう。Bさんのそばにある④｛この　その　あの｝箱に半分入れましょう。

　　B：⑤｛これ　それ　あれ｝ですか。

　　A：ええ。⑥｛こちら　そちら　あちら｝に投げてください。
　　　　　　　　　：

　　A：新しいアパートは横浜ですよね。⑦｛こちら　そちら　あちら｝には何時ごろ着くでしょうね。

　　B：3時ごろかな。5時ごろ近所の人にあいさつをします。⑧｛この　その　あの｝後で、何かおいしいものを食べましょう。近くにいろいろな店があるようですから。

　　A：それは楽しみですね。

7課　こ・そ・あ　自分と相手との関係

8課 申し出・勧誘　自分の行為の申し出か、相手への働きかけか

Making offers and proffering invitations (Whether offering through one's own volition or encouraging the other party)

提议、劝诱　自己的行为的提议，或是对对方的劝诱
제안·권유 자신의 행위의 제안 혹은 상대방에 대한 동작의 권유

TEST　スタートテスト

問題Ⅰ　どちらか適当な方を選びなさい。

1. この部屋、わたしがそうじを｛a しましょうか　b しませんか｝。
 ——ええ、お願いします。
2. 疲れているのなら、ゆっくり｛a 休みましょうか　b 休んだほうがいいですよ｝。
 ——はい、そうします。
3. アルバイト、この雑誌で｛a 探しましょう　b 探したらどうですか｝。
 ——わかりました。そうします。
4. この仕事、ぜひわたしに｛a やらせてください　b やってください｝。
 ——ええ、じゃあ、やってみてください。
5. 店員：これ、とてもいい車ですよ。どうですか｛a 買いましょうか　b 買いませんか｝。
 客　：そうですねえ。妻と相談します。

問題Ⅱ　(　)の中の動詞を適当な形にして、＿＿＿＿の上に書きなさい。

1. 今度の日曜日にいっしょにご飯を＿＿＿＿＿＿か。(食べる)
 ——いいですね。そうしましょう。
2. 次の漢字の読み方を＿＿＿＿＿＿なさい。(書く)
3. 電車がまいります。危ないですから白線の内側にお＿＿＿＿＿＿ください。(下がる)
4. 病院の中では携帯電話を＿＿＿＿＿＿ください。(使う)
5. 父にそんな服は＿＿＿＿＿＿なと言われました。(着る)

— 46 —

POINT ポイント1　申し出・勧誘・提案の言い方
(How to word a proposal or invitation
提议、劝诱、建议的说法 ／ 제안・권유・제안의 말투)

する人	文型	例文
わたし	～ましょう	その仕事はわたしが**しましょう**。 ——そうですか。ありがとう。
	～ましょうか	そのかばん、持ち**ましょうか**。 ——ええ、お願いします。
わたしと あなた いっしょに	～ましょう	ここでちょっと休み**ましょう**。 ——そうですね。
	～ましょうか	コーヒーでも飲み**ましょうか**。 ——ええ、そうしましょう。
	～ませんか	あした、海を見に行き**ませんか**。 ——いいですね。行きましょう。
あなた	～ませんか	あした、うちへ遊びに来**ませんか**。 ——ええ、行きたいです。

8課　申し出・勧誘　自分の行為の申し出か、相手への働きかけか

問題1　どちらか適当な方に○をつけなさい。

1. (　) a これ、おいしいですよ。あなたも食べてみましょうか。
   (　) b これ、おいしいですよ。あなたも食べてみませんか。
   ——そうですか。ありがとう。

2. (　) a きょうはわたしが料理を作りましょうか。
   (　) b きょうはあなたが料理を作りませんか。
   ——ありがとう。お願いします。

3. 今晩、いっしょに飲みませんか。
   (　) a ——はい、飲みません。
   (　) b ——いいですね。飲みましょう。

4. あなたもうちのクラブに入りませんか。
   (　) a ——はい、入ります。
   (　) b ——はい、入りません。

5. これ、さしあげましょうか。
   (　) a ——ええ、そうしましょう。
   (　) b ——はい、ありがとうございます。

6. その荷物、重そうですね。お持ちしましょう。
   (　) a ——ありがとう。
   (　) b ——そうですね。そうしましょう。

POINT ポイント2　依頼・指示・忠告・命令などの言い方
(How to word a request, instruction, advice, order
请求、指示、忠告、命令等的说法 ／ 의뢰・지시・충고・명령 등의 말투)

おVください	ここに住所とお名前を**お書きください**。
〜てください	これ、運ん**でください**。（あなたが運ぶ）
	すみません。あした休ませ**てください**。（わたしが休む）
〜ないでください	そんなに笑わ**ないでください**。
〜たほうがいい	会場へはバスで行った**ほうがいい**ですよ。
〜ないほうがいい	そんなにお酒を飲ま**ないほうがいい**ですよ。
〜たらどうですか	疲れたでしょう。少し休ん**だらどうですか**。
命令	起き**ろ**。立**て**。来**い**。走**れ**。
禁止の命令 Prohibition 禁止、命令／금지 명령	来る**な**。する**な**。

— 49 —

問題2 適当なことばを選びなさい。

A：あしたうちでバーベキューパーティーをするんだけど、あなたも ①{ a 来ましょう　b 来ましょうか　c 来ませんか }。

B：いいですね！行きたいです。

A：じゃ、すみませんが、来るとき、紙のお皿を ②{ a 買ってきてください　b 買ってきたらどうですか　c 買ってこい }。

B：わかりました。ビールも ③{ a 買っていきませんか　b 買っていきましょうか　c 買っていったらどうですか }。

A：ビールはうちにありますからいいですよ。

B：ほかにだれが行きますか。

A：え〜と、田中さん、マリアさん、スミスさん、友田さん、ヤンさん……。

B：山田さんも ④{ a 誘ってくださいませんか　b 誘われてください　c 誘え }。

A：え、山田さんですか。どうして？

B：先週、山田さんに、わたしと ⑤{ a 結婚してください　b 結婚させてください　c 結婚したほうがいいです } と言って、結婚を申し込んだんですけど、まだ返事がもらえなくて心配なんです。

A：あら、まあ、ハハハ……。

B：Aさん、⑥{ a 笑わないでください　b 笑うな　c 笑わないほうがいいですよ }。

A：⑦{ a 笑え　b 笑うな　c 笑わない } といっても笑ってしまいますよ。

B：困ったなあ。みんなに早く ⑧{ a 結婚する　b 結婚しよう　c 結婚しろ } と言われているんですよ。

9課 自分か他者か

Oneself or others
自己或他人
자신 혹은 다른 사람

TEST スタートテスト

問題I どちらか適当な方を選びなさい。

1. わたしはカメラマンに ｛a なろう　b なる｝ つもりです。
2. わたしはあしたのパーティーに ｛a 行こう　b 行く｝ と思っています。
3. 弟は新しいパソコンを ｛a 買おう　b 買う｝ としています。
4. ドンさんは今の仕事を ｛a やめない　b やめたくない｝ つもりだそうです。
5. わたしはいろいろな所を ｛a 見物する　b 見物しよう｝ と思います。

問題II どちらか適当な方を選びなさい。

1. 犬が死んでしまったので、わたしは ｛a さびしいです　b さびしそうです｝。
2. 弟は犬のおもちゃ ｛a がほしいです　b をほしがっています｝。
3. タンさんは専門学校に入ろうと ｛a 思っています　b 思います｝。
4. シンさんは新しい車が ｛a 買いたいです　b 買いたいらしいです｝。
5. タンさん、気分が ｛a 悪いです　b 悪いようです｝ ね。休んだらどうですか。

POINT ポイント1　意志の形　「う・よう形」

(1) う・よう形の作り方

	う・よう形		う・よう形
動詞1	会う→会おう　あいうえお 書く→書こう　かきくけこ 立つ→立とう　たちつてと 飛ぶ→飛ぼう　ばびぶべぼ	動詞2	食べる+よう→食べよう
		動詞3	する→しよう 来る→来よう

問題1-1　表の中に、「う・よう形」を書きなさい。

飲む	**飲もう**	ちょっと休む	ちょっと
泳ぐ		映画を見る	映画を
歌う		勉強する	勉強
走る		あしたも来る	あしたも

— 52 —

(2)「う・よう形」の使い方

① 「う・ようと思います」→ポイント2

② 「う・よう」→ていねい体の「ましょう」のふつう体

一郎、いっしょに**帰ろう**。

もう、12時だ。**寝よう**。**寝よう**。

あした花子に会いに**行こう**。

③ 「う・ようとする」→〜する直前である、〜する努力をする、という意味。

It means to be about to do ... or try to do ... .
表示做~之前，努力去做~的意志。
〜 하기 직전인 것, 〜 하도록 노력한다는 의미.

わたしはお金を**払おうとしました**。そのとき、先輩が「わたしが払うよ」と言いました。

タンさんは知っていることばを使って、いっしょうけんめい日本語で**話そうとしています**。

問題1-2 （　）の中の動詞を「う・よう形」にして、＿＿＿＿の上に書きなさい。

1．家を＿＿＿＿＿＿＿＿としたとき、電話のベルが鳴りました。（出る）
2．あ、おいしそうないちごだ。おみやげに買って＿＿＿＿＿＿＿。（行く）
3．わたしは家族というテーマでレポートを＿＿＿＿＿＿＿と思います。（書く）
4．夏休みに富士山に＿＿＿＿＿＿＿と思っています。（登る）
5．あの小鳥は＿＿＿＿＿＿＿としていますが、まだ上手に飛べません。（飛ぶ）

POINT ポイント2　一人称・三人称　―意志・意向―　(First person, third person-will, intention-)
第一人称、第三人称 ―意志、意向― ／ 1인칭·3인칭 -의지·의향-

一人称 わたし	う・ようと思います う・ようと思っています つもりです	わたしは花子と結婚しようと思います。 夏休みにハワイへ行こうと思っています。 夏休みには国へ帰るつもりです。
三人称 ほかの人	う・ようと思っています	タンさんは国へ帰ろうと思っています。 （×タンさんは国へ帰ろうと思います。）
	つもりのようです	タンさんは国へ帰るつもりのようです。 （×タンさんは国へ帰るつもりです。）

＊1　「思います」の主語は一人称だけです。

＊2　一人称の「思っています」は気持ちを一定期間もち続けている場合に使います。
"思っています" in the first person is used when one has retained a certain intention for a specific period.
第一人称的"思っています"用于表示一段时间保持某种心情。
1인칭의 「思っています」는 감정을 일정기간 동안 계속해서 지니고 있을 경우에 사용합니다.

＊3　「つもり」を用いて三人称の意志を表す場合には、後に次のようなことばをつけます。
When the third person's will is expressed using "つもり", the following phrases should be added.
用"つもり"表示第三人称的意志时，后面要加上以下词汇。
「つもり」를 이용하여 3인칭의 의지를 나타낼 경우에는 뒤에 다음과 같은 말을 붙입니다.

タンさんは国へ帰るつもり ＋ { なのです。
のようです。／らしいです。
だそうです。／だと言っています。

＊4　否定形は「う・ようと(は)思いません／思っていません」「ないつもりです／つもりはありません」

問題2　どちらか適当な方を選びなさい。

1．わたしは大学で経済を {a 勉強する　b 勉強しよう} と思います。

2．わたしは来月から水泳を {a 習う　b 習おう} つもりです。

3．大きくなったら、わたしはパン屋に {a なる　b なろう} と思っています。

4．わたしは高いものは買わない {a つもりです　b と思っています}。

5．タンさんは毎日自分で料理を作ろうと {a 思います　b 思っています}。

6．国へ帰ったら何を {a する　b しよう} と思っていますか。

7．先生：この学校を卒業したらどうする {a つもりですか　b と思っていますか}。
　　学生：まだ決めていません。

8．リンさんは花子さんにゆびわをあげる {a つもりだそうです　b つもりです}。

POINT ポイント3　一人称（いちにんしょう）・三人称　－心の中のこと－

思ったことや感じたことを話すときは、一人称（わたし）か、三人称（ほかの人）かで文法の規則が違います。
三人称が主語のとき、ことばを加えます。

When saying what one thinks or feels, grammatical rules differ depending on whether the subject is the first person (self) or the third person (other party).
When the subject is the third person, the following are added:
要表达所想或者所感的事情时，用第一人称（我）或者第三人称（其他人），在语法规则上有所不同。
第三人称充当主语时，要附加一些词语。
생각한 것이나 느낀 것을 이야기할 때에는 1인칭(나) 혹은 3인칭(다른 사람)에 따라 문법 규칙이 다릅니다.
3인칭이 주어일 때, 말을 더합니다.

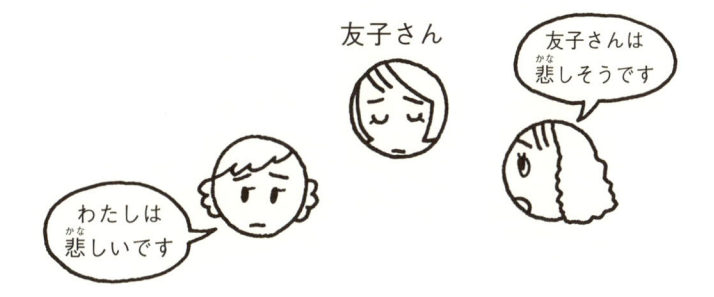

友子さん
友子さんは悲しそうです
わたしは悲しいです

ことばの例　希望・欲求を表すことば　　ほしい、〜たい

　　　　　　Phrase for expressing a hope or wish
　　　　　　表示希望、欲望的词语
　　　　　　희망・욕구를 나타내는 말

　　　　　　感情を表すことば　　　　　　うれしい、悲しい、いやだ、残念だ……

　　　　　　Phrase for expressing emotion
　　　　　　表示感情的词语
　　　　　　감정을 나타내는 말

　　　　　　感覚を表すことば　　　　　　痛い、眠い……

　　　　　　Phrase for expressing a physical sensation
　　　　　　表示感觉的词语
　　　　　　감각을 나타내는 말

9課　自分か他者か

一人称 わたしは	パソコンがほしいです パソコンが買いたいです うれしいです	
三人称 林さんは	パソコンがほしい＊1 パソコンが買いたい＋ うれしい	のです・んです ようです／らしいです そうです（伝聞） （Hearsay ／ 传闻 ／ 전문） そうです（様態）＊2 （Appearance ／ 样态 ／ 정황） がっています＊2
	いや　＋	なのです・んです／ようです だそうです（伝聞） らしいです（様態）／そうです がっています

＊1　〜<u>が</u>ほしい→〜<u>を</u>ほしがっています

＊2　ほし~~い~~
　　　買いた~~い~~　＋そうです／がっています
　　　うれし~~い~~

問題3 どちらか適当な方を選びなさい。

1. わたしは大切な問題は家族とよく話し合って ｛a 決めたいです　b 決めたがっています｝。
2. 留学が決まって、田中さんは ｛a うれしいです　b うれしそうです｝。
3. わたしは食べすぎて、おなかが ｛a 痛いです　b 痛そうです｝。
4. わたしは新しい車 ｛a がほしいです　b をほしがっています｝。
5. 新幹線で隣の人がずっとたばこを吸っていました。わたしは煙 ｛a がいやでした　b をいやがりました｝。
6. ジャナットさんは今夜、国の両親に電話を ｛a したいです　b したいそうです｝。
7. 東：森さんはこのごろ元気がありませんね。
   林：森さんは一人娘が結婚するので、｛a さびしいですよ　b さびしいんですよ｝。
8. 中村さんは婚約者のいるタイへ早く ｛a 行きたいです　b 行きたいようです｝。
9. デパートへ行くと、妹はいつも服を ｛a 買いたいです　b 買いたがります｝。
10. リーさんはガールフレンドが国へ帰ってしまったので、とても ｛a 残念です　b 残念がっています｝。

問題4 どちらか適当な方を選びなさい。

　夏休みに、友だちといっしょに国際キャンプに行きました。
　昼間、わたしたちはいっしょにゲームをしたり、湖で泳いだりしてとても
①｛a 楽しそうでした　b 楽しかったです｝。
　しかし、夜になると、みんな静かになりました。タンさんは一人で星を見ていました。少し ②｛a さびしそうでした　b さびしかったです｝。家族のことを
③｛a 思い出しました　b 思い出したのでしょう｝。
　リンさんは携帯電話を持って、あちらこちらを歩き回っていました。ガールフレンドの愛子さんと ④｛a 話したかったです　b 話したかったようです｝。
　わたしも友だちにはがきを ⑤｛a 書きたかったのですが　b 書きたかったらしいですが｝、疲れていたので早く寝ました。

10課 継続性か、瞬間性か

Continuous or instant actions

持续性或者瞬间性
계속성 또는 순간성

TEST スタートテスト

問題Ⅰ どちらか適当な方を選びなさい。

1. わたしは5時まで仕事を｛a します　b 終わります｝。
2. 毎日、何時間くらい｛a 寝ますか　b 起きますか｝。
3. わたしは夏休みの間｛a 北海道にいます　b 引っ越しします｝。
4. レポートはあしたの3時に｛a 書いてください　b 出してください｝。
5. 電車の中でずっと｛a 本を読みました　b 立ちました｝。

問題Ⅱ どちらか適当な方を選びなさい。

1. あなたはお父さんに｛a 似ますね　b 似ていますね｝。
2. A：ヤンさんの電話番号を｛a 知りますか　b 知っていますか｝。
   B：いいえ、知りません。
3. 電車の中で携帯電話を｛a なくしました　b なくしていました｝。
4. 父は今、この会の会長を｛a します　b しています｝。
5. 兄も姉も｛a 結婚します　b 結婚しています｝。子どもが2人ずついます。

POINT ポイント1−1 動詞の種類 (Type of verb ／ 动词的种类 ／ 동사의 종류)

動詞は次のように分けることができます。

A 状態を表す動詞…ある（存在）、いる（存在）、要る、できる（可能）、可能動詞など
　Stative verbs … ある(existence), いる(existence), and 要る, as well as できる(possibility), and potential verbs
　状态动词…"ある（存在）、いる（存在）、要る、できる（可能）、可能动词"等等。
　상태 동사 … 「ある(존재)・いる(존재)・要る・できる(가능)・가능 동사 등」이 있습니다.

B 動作・できごとを表す動詞

　①継続する動作やできごとを表す（継続動詞）

　　歩く
　　　　　　　　Showing a continuing act or event (Durational verb)
　　　　　　　　表示持续的动作、事件。（持续动词）
　　　　　　　　계속되는 동작이나 사전을 나타내다. (계속 동사)

　例：作る　読む　勉強する　働くなど

　②主体が瞬間的に変化する動作やできごとを表す（瞬間動詞）

　　（電気が）つく
　　　　　　　　Showing an instantly changing act, event (Momentary verb)
　　　　　　　　表示主体瞬间性变化的动作、事件。（瞬间动词）
　　　　　　　　주체가 순간적으로 변하는 동작, 사전을 나타내다. (순간 동사)

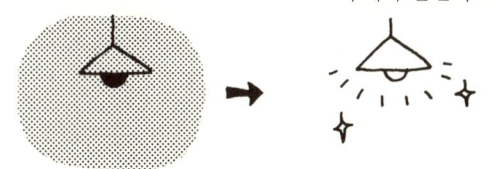

　例：落ちる　（車が）止まる　出る　始まる　咲く　など

問題1−1 ▢ の中の動詞を①②の2つに分けなさい。

考える	聞く	使う	起きる	話す	立つ
待つ	終わる	走る	倒れる	死ぬ	落ちる

①継続動詞
　考える

②瞬間動詞
　落ちる

10課　継続性か・瞬間性か

POINT ポイント1-2　「～ている」の意味

(1)「継続動詞＋ている」で、できごとや動作が継続していることを表します。

まり子が本を読んでいます。

"A durational verb plus ている" shows that an event or act is continuing.
"持续动词＋ている"表示事件、动作的持续。
「계속 동사＋ている」로 사건이나 동작이 계속되고 있는 것을 나타냅니다.

(2)「瞬間動詞＋ている」で、変化の結果の状態が継続していることを表します。

りんごが落ちました。　　りんごが落ちています

"A momentary verb plus ている" shows that a state as the result of a change is continuing.
"瞬間动词＋ている"
表示变化的结果状态的持续。
「순간 동사＋ている」로 변화의 결과인 상태가 계속되고 있는 것을 나타냅니다.

問題1-2　次の「ています」は、①ですか、②ですか。

①まり子が本を読んでいます。
②りんごが一つ落ちています。

1. (　) 雪が降っています。
2. (　) まりさんはきょうも赤いセーターを着ています。
3. (　) 友子さんは勉強しています。
4. (　) 教室の電気がついています。
5. (　) 窓の下に虫が死んでいます。
6. (　) 李さんと金さんはテニスをしています。
7. (　) 郵便局はもう閉まっています。
8. (　) 田中さんは金さんと話しています。

> いつも「ています」の形で使うもの
> わたしは横浜に住んでいます。
> 大きいかばんを二つ持っています。
> あの人の名前を知っていますか。
> 私は友子を愛しています。　など

POINT ポイント2-1　継続か・瞬間か　－助詞など－
(Durational or momentary? – Particle, etc. –
是持续还是瞬间-助词等- ／ 계속 또는 순간 -조사 등-)

時間的幅と点　Range and point of time ／ 时间的范围和点 ／ 시간적인 폭과 시점

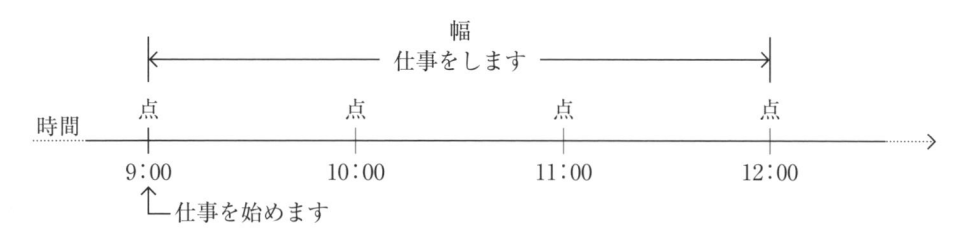

```
        ←————————— 幅 —————————→
              仕事をします
   時間   点        点        点        点
        ┼────────┼────────┼────────┼────→
       9:00    10:00    11:00    12:00
        ↑
        仕事を始めます
```

幅を表すことば	～から　～まで　　～間　　～時間(日/週間/月)	など
点を表すことば	～に　　～までに　～間に	など

幅を表すことばは継続的な動きを表す動詞とともに使います。
点を表すことばは瞬間的に完了する動きや変化を表す動詞とともに使います。

A phrase showing a range of time is used together with a verb indicating a continuing movement.
A phrase showing a point of time is used together with a verb showing a movement or change that is completed instantly.
表示时间范围的词语和表示持续动作的动词搭配。
表示时间点的词语和表示瞬间结束的动作、变化的动词搭配。
시간의 폭을 나타내는 말은 계속적인 동작을 나타내는 동사와 함께 사용합니다.
시점을 가리키는 말은 순간적으로 완료되는 동작이나 변화를 나타내는 동사와 함께 사용합니다.

問題2-1　どちらか適当な方を選びなさい。

1．あしたは ｛a 9時まで　　b 9時に｝ 仕事を始めましょう。

2．きのう、｛a 10時から12時まで　　b 10時に｝ テレビを見ました。

3．きのうは ｛a 3時間　　b 3時までに｝ 勉強しました。

4．あしたは ｛a 12時まで　　b 12時までに｝ 空港に着かなければなりません。

5．父は ｛a 70歳の年まで　　b 70歳の年に｝ 仕事を続けました。

6．わたしがるすの ｛a 間　　b 間に｝ うちの犬は庭で遊んでいます。

7．雨がやむ ｛a まで　　b までに｝ ここにいましょう。

8．わたしは ｛a 1970年から　　b 1970年に｝ 生まれました。

9．みちこさんは毎日 ｛a 何時間　　b 何時に｝ 家に帰りますか。

10．わたしは日本にいる ｛a 間　　b 間に｝ 結婚しました。

POINT ポイント2-2 継続か・瞬間か －動詞の後に続く形－

継続的なことか瞬間的なことかの違いは動詞の後に続く形からもわかります。

Whether an action is continuing or instant is identified by the pattern that follows the relevant verb.
持续性和瞬间性的区别也可通过动词后面的接续形式来判断。
계속적인 것인가 또는 순간적인 것인가의 차이는 동사 뒤에 이어지는 형태를 통해서도 알 수 있습니다.

継続性か瞬間性かを区別するもの

What discriminates between a continuing and instant action
区别持续性与瞬间性的事项
계속성과 순간성을 구별하는 것

〜ている ポイント1-2	リンさんは今、本を読んでいます。	継続性
	リンさんはめがねをかけています。	
〜てある	リンさんのかさには名前が書いてあります。	
〜つづける	朝からずっと運転しつづけて、疲れました。	
〜はじめる	わたしは4歳のときピアノを習いはじめました。	瞬間性
〜おわる	9時にやっと宿題の本を読みおわりました。	

問題2-2-A 絵を見て□の中のことばと「ている」を使って、文を完成しなさい。

~~すわる~~ 止まる 飛ぶ 遊ぶ 並ぶ 咲く 寝る 弾く する

例 おばあさんが草の上にすわっています。

1．鳥が＿＿＿＿＿＿＿＿＿＿＿＿＿＿＿。
2．車が＿＿＿＿＿＿＿＿＿＿＿＿＿＿＿。
3．木が＿＿＿＿＿＿＿＿＿＿＿＿＿＿＿。
4．花が＿＿＿＿＿＿＿＿＿＿＿＿＿＿＿。
5．子どもたちが＿＿＿＿＿＿＿＿＿＿＿。
6．Aさんがギターを＿＿＿＿＿＿＿＿＿。
7．BさんとCさんがバドミントンを
＿＿＿＿＿＿＿＿＿＿＿＿＿＿＿＿＿。
8．Dさんが＿＿＿＿＿＿＿＿＿＿＿＿＿。

問題2-2-B （　）の中の動詞を「～はじめる」「～つづける」「～おわる」の形にして、＿＿＿の上に書きなさい。

例　きのうの夜9時ごろこの本を　**読みはじめました**　。でも、おもしろくて
　　　読みおわる　までやめられませんでした。（読む）

1．＿＿＿＿＿＿テレホンカードをこの箱に入れてください。（使う）
2．この子は1歳半くらいのとき、＿＿＿＿＿＿。（話す）
3．わたしはずっとこの会社で＿＿＿＿＿＿たいです。（働く）
4．このレポートは3ヶ月前に①＿＿＿＿＿＿。（書く）そして、きょうやっと
　　②＿＿＿＿＿＿。（書く）
5．わたしはお茶を買ってきますから、どうぞ先に＿＿＿＿＿＿てください。（食べる）

問題3　（　）の中の動詞を適当な形にして、＿＿＿の上に書きなさい。必要な場合は、「ている」「てある」をつけなさい。

1．A：林さんはどこですか。
　　B：ロビーで友子さんと＿＿＿＿＿＿。（話す）
2．この銀行は何時から何時まで＿＿＿＿＿＿か。（開く）
3．この銀行は何時に＿＿＿＿＿＿か。（閉まる）
4．わたしはいろいろな形のぼうしを＿＿＿＿＿＿。（持つ）
5．あ、見てください。外は雪が＿＿＿＿＿＿よ。（降る）
6．わたしは来年高等学校を＿＿＿＿＿＿。（卒業する）
7．あ、ドアにかぎが＿＿＿＿＿＿よ。だれもいないのかな。（かかる）
8．急に電気が＿＿＿＿＿＿ので、びっくりしました。（消える）
9．このボタンを押すと、電気が＿＿＿＿＿＿。（つく）
10．ドアの上に「スミス」と名前が＿＿＿＿＿＿。（書く）

10課
継続性か・瞬間性か

問題4 （　）の中の動詞を適当な形にして、＿＿＿の上に書きなさい。必要な場合は、「～ている」「～てある」をつけなさい。

1．わたしは日本に来てからずっと横浜に①＿＿＿＿＿＿＿＿＿＿が、夏休みの間
　　　　　　　　　　　　　　　　　　　　　　（住む）

　に②＿＿＿＿＿＿＿＿＿＿つもりです。
　　　（引っ越しする）

　今度③＿＿＿＿＿＿＿＿＿＿ところは、駅にも近くて便利です。サンプラザと
　　　　　（住む）

　いう建物を④＿＿＿＿＿＿＿＿＿＿でしょう。あの近くです。
　　　　　　　　（知る）

2．＜パーティーの準備＞
　今晩、夏子さんのうちで春子さんの誕生パーティーをします。
　友だちが集まって、今、楽しそうに準備を①＿＿＿＿＿＿＿＿＿＿。（する）
　夏子さんはテーブルの上にお皿やコップを②＿＿＿＿＿＿＿＿＿＿。（並べる）
　秋子さんがさっき花を買ってきて、飾りました。
　テーブルの上にはきれいな花が③＿＿＿＿＿＿＿＿＿＿。（飾る）
　冬子さんが料理の材料をたくさん買ってきました。
　秋子さんと冬子さんは今、台所で料理を④＿＿＿＿＿＿＿＿＿＿。（作る）
　飲み物はきのう夏子さんが買ってきました。
　冷蔵庫にはジュースやビールが⑤＿＿＿＿＿＿＿＿＿＿。（冷やす）

11課 話者の位置 〜ていく・〜てくる

Position of speaker
说话者的位置
말하는 사람의 위치

TEST スタートテスト

問題 どちらか適当な方を選びなさい。

1. 悲しい映画を見ていたら、涙が出て {a きました　b いきました}。
2. ＜電車の中で＞
　ほら、向こうに海が見えて {a きたでしょう　b いったでしょう}。目的地はもうすぐですよ。
3. わたしは今までずっと両親といっしょに生活して {a きました　b いきました}。
4. ＜山を見て＞
　わあ、あんな高いところまで登って {a くるのは　b いくのは} 大変だなあ。
5. この子がこれから大きくなって {a くる　b いく} のが楽しみです。
6. ヤンさんは20分も遅れて教室に入って {a きて　b いって} わたしの隣にすわりました。
7. どこからかかねの音が聞こえて {a きました　b いきました}。
8. 先生：みなさん、宿題の作文を書いて {a きましたか　b いきましたか}。
9. あ、さとうがないわ。ちょっとスーパーで買って {a きます　b いきます}。
10. ヤンさん、この書類、事務室の小林さんのところに持って {a きて　b いって} ください。

POINT ポイント1　話す人からの視点（Viewpoint of speaker／从说话者的角度／말하는 사람을 통한 시점）

日本語では話者の視点からものごとを見て言い表す表現が多いです。
In Japanese, many phrases are expressed from the viewpoint of the speaker.
日语中有很多从说话者的角度看事物、表达事物的表现形式。
일본어에서는 말하는 사람의 시점에서 사물을 보고 말로 나타내는 표현이 많습니다.

	話者の位置・時点に近づくとき When something is approaching the speaker's position or mentioned point in time： 向说话者的位置、时间点靠近时 말하는 사람의 위치 및 시점으로 다가올 때	話者の位置・時点から離れるとき When something is drawing away from the speaker's position or mentioned point in time： 从说话者的位置、时间点离开时 말하는 사람의 위치 및 시점에서 벗어날 때
話者・他者の移動 Movement of speaker, others 说话者、他人的移动 말하는 사람・다른 사람의 이동	来る・〜てくる 例　犬が走ってきました。	行く・〜ていく 例　犬が走っていきました。

問題1　どちらか適当な方を選びなさい。

1．あした、わたしのうちへ｛a 来ませんか　　b 行きませんか｝。
　　——はい。では、午後｛a 来ます　　b 行きます｝。

2．きのう、田中さんのうちでいっしょにビデオを見ました。ヤンさんも後から
　　｛a 来ました　　b 行きました｝。

3．1972年に日本の首相がわたしの国へ｛a 来ました　　b 行きました｝。

4．あ、向こうから子どもが走って｛a くるよ　　b いくよ｝。

5．ちょっとここで待っていてください。入場券を買って｛a きますから　　b いきますから｝。

6．会場へ先に行ってください。わたしは銀行に寄って｛a きます　　b いきます｝から。

7．子：いってまいります。
　　母：いってらっしゃい。あ、このはがき、学校へ行く途中でポストに入れて
　　　　｛a きてね　　b いってね｝。

8．先生：あれ、タンさん、どこへ行っていたんですか。中川さんが探していましたよ。
　　タン：バスの時刻表を見て｛a きたんですよ　　b いったんですよ｝。

POINT ポイント2 「〜てくる・〜ていく」の用法 (Use of "〜てくる", "〜ていく" / "〜てくる、〜ていく"的用法 / 「〜てくる・〜ていく」의 용법)

意味 Meaning 意思／의미	例文 Example sentence ／ 例句 ／ 예문	注意 Note 注意／주의
ある動作の後の移動 Movement after one action 某个动作后的移动 어느 동작을 한 뒤의 이동	あした、朝の天気予報を見てきてください。 ここに荷物を置いていこう。 駅前の店でラーメンを食べてきました。 駅前の花屋で花を買っていきましょう。	
移動の方向 Direction of movement 移动的方向 이동의 방향	隣に有名な音楽家が引っ越してきました。 あ、ねこが逃げていくよ。 チンさんが遅れて教室に入ってきました。 松下さんは怒って、部屋を出ていきました。	移動を表す動詞 Verb indicating a movement 表示移动的动词 이동을 나타내는 동사 対の移動動詞 A pair of motional verbs 成对的移动动词 동사(짝)의 이동 동사
情報などの到達 Arrival of information, etc. 信息等的到达 정보 등의 도달	国から母がおかしを送ってきました。 いいにおいがしてきましたね。	「〜ていく」の形はない
状態の変化・継続 A continuing or changing state 状态的变化、持续 상태의 변화・계속	寒くなってきましたね。 これから、留学生は増えていくでしょう。 わたしはずっと父の仕事を手伝ってきました。 これからもがんばっていきます。	変化を表す動詞 Verb indicating a changing state 表示变化的动词 변화를 나타내는 동사 継続を表す動詞 Verb indicating a continuing state 表示持续的动词 계속을 나타내는 동사

問題2 適当なことばを選びなさい。

1．田中さん、これ、国の母が {a 送ったんです　b 送ってきたんです　c 送っていったんです}。食べてみてください。

2．おふろに入ろうとしたら、山田さんが電話を {a かけました　b かけてきました　c かけていきました}。

3．川で遊んでいたら、上の方から小さいびんが {a 流れました　b 流れてきました　c 流れていきました}。

4．むかし、この海はとてもきれいでした。父は子どものころよくここで {a 泳いだ　b 泳いできた　c 泳いでいった} そうです。

5．山の上でお弁当を食べていたら、後から子どもたちがおおぜい {a 登りました　b 登ってきました　c 登っていきました}。

12課 他動詞と自動詞の対

Transitive and intransitive verbs

他动词和自动词
타동사와 자동사

TEST スタートテスト

問題Ⅰ （　）に適当なことばを入れなさい。

他動詞	自動詞
わたしは電気を（　　　　　　　）。	電気がつきました。
わたしはタクシーを（　　　　　　　）。	タクシーが止まりました。
わたしはドアを開けました。	ドアが（　　　　　　　　　）。
わたしは火を消しました。	火が（　　　　　　　　　）。
わたしは水道の水を出（　　　　　　　）。	水道の水が出（　　　　　　　）。

問題Ⅱ ｛　｝の中の他動詞と自動詞を適当な形にして、_____の上に書きなさい。

1. ｛乗せる　乗る｝
   わたしは子どもを先にタクシーに_____て、それから自分が_____ます。そのほうが安全です。

2. ｛始める　始まる｝
   授業はもう_____ましたよ。あの先生はいつも9時前に_____んですよ。

3. ｛切る　切れる｝
   このキーを押すとパソコンの電源が_____ます。電源ボタンを押して_____ないでください。

4. ｛開ける　開く｝
   人がドアの前に立つと、ドアは自動的に_____ます。手で_____ことはできません。

5. ｛出る　出す｝
   犬が外に_____たがっていますよ。ちょっとだけ外に_____てやりましょう。

| POINT | **ポイント1** 　**他動詞文と自動詞文**（ Transitive verb-based and intransitive verb-based sentences／他动词语句和自动词语句 ／ 타동사 문장과 자동사 문장 ）|

A 　他動詞の文　Sentence with a transitive verb／他动词语句／타동사의 문장

林さんが／は タクシーを止めました 。

言いたいこと＝林さんが変化を加えたこと
　　　　　　Mr. Hayashi changes something.／林先生施加了变化／하야시씨가 변화를 가져온 것

→タクシーを<u>止めました</u>

B 　自動詞の文　Sentence with an intransitive verb／自动词语句／자동사의 문장

タクシーが／は 止まりました 。

言いたいこと＝タクシーの動き　Movement of taxi／出租车的动作／택시의 움직임

→<u>止まりました</u>

問題1-1　例のように、絵を見て他動詞か自動詞を＿＿＿＿の上に書きなさい。

例　お皿を並べる　　　　　　　子どもたちが **並ぶ**

1．手を上げる 　　　　　　　　エレベーターが＿＿＿＿＿

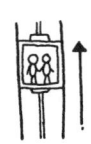

2. 糸を_____　　　　　　　　弱い糸が切れる

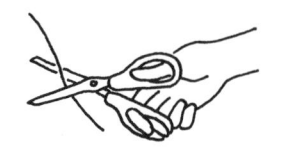

3. ねこを家の中に入れる 　　　　虫が家の中に_____

4. 火を_____ 　　　　　　　　火が消える

5. ドアを_____ 　　　　　　　ドアが閉まる

6. 荷物を落とす 　　　　　　　　荷物が_____

7. 木を_____ 　　　　　　　　木が倒れる

8. 卵を_____ 　　　　　　　　卵が割れる

問題1-2　どちらか適当な方を選びなさい。

1. 目の中に｛a ごみを入れた　b ごみが入った｝ようです。痛い、痛い。
2. A：あ、熱があるんですか。少し顔が赤いですよ。
   B：ええ、38度あります。ずっと｛a 下げないんです　b 下がらないんです｝。
3. A：わたしは先月から油絵を習っているんですよ。
   B：いいですね。わたしも何か｛a 始めようと　b 始まろうと｝思っています。
4. ごみは火曜日と金曜日の朝、｛a 出して　b 出て｝ください。
5. あした美容院に行って、｛a 髪の毛を切ります　b 髪の毛が切れます｝。
6. ちょっとうるさいですから、テレビは｛a 消しましょう　b 消えましょう｝。
7. 公園の電気は、暗くなると自動的に｛a つけます　b つきます｝。
8. この漢字、まちがいですよ。｛a 直して　b 直って｝ください。
9. さあ、がんばって走れ、走れ。あ、危ない、｛a 止めろ　b 止まれ｝！
10. 外から見られるといやですから、｛a カーテンを閉めます　b カーテンが閉まります｝。
11. チケットを買う人は、1列に｛a 並べて　b 並んで｝ください。
12. 24時間で｛a 地球を1回まわします　b 地球が1回まわります｝。
13. 本だなの上から｛a 本を落としそうですよ　b 本が落ちそうですよ｝。
14. お客さまが来ますから、｛a ビールを冷やします　b ビールが冷えます｝。
15. ＜小学校の先生が子どもたちに＞
    みなさん、あしたは運動会ですね。8時に校庭に｛a 集めて　b 集まって｝ください。

POINT ポイント2 「する」と「なる」

「する」と「なる」も他動詞と自動詞の対になります。

"する" and "なる" are used with transitive and intransitive verbs respectively.
"する"和"なる"也是一对他动词和自动词。／「する」와「なる」도 타동사와 자동사의 짝이 됩니다.

他動詞 Transitive verb 他动词 타동사	人が変化を加える Man changes something 人为施加变化 사람이 변화를 가져온다	〜を〜にする	わたしはこのケーキを半分にします。 わたしは部屋をきれいにします。
		〜を〜くする	わたしは部屋を明るくします。
自動詞 Intransitive verb 自动词 자동사	変化する Something changes itself 发生变化 변화한다	〜になる	ケーキが半分になりました。 部屋がきれいになりました。
		〜くなる	部屋が明るくなりました。

問題2　どちらか適当な方を選びなさい。

1．お母さん、ぼく、辛いカレーが好きだよ。きょうのカレー {a 辛くしてね　b 辛くなってね}

2．A：このかべの色、どうでしょうか。
　　B：そうですねえ。もっと明るい色に {a したらどうですか　b なったらどうですか}。

3．もう秋ですねえ。{a 木の葉を赤くしましたね　b 木の葉が赤くなりましたね}。

4．すみません。テレビの音、もっと小さく {a して　b なって} くださいませんか。

5．最後にお酒を少し入れると、この料理はもっとおいしく {a しますよ　b なりますよ}。

6．わたし、髪を短く切って、流行の髪の形に {a して　b なって} みたいです。

7．すみません。この1,000円、細かく {a して　b なって} もらえませんか。

8．暖かく {a したら　b なったら}、また、魚を釣りに行きたいです。

9．このパソコン、高いですねえ。もっと安く {a して　b なって} くれませんか。

10．どんなに洗っても、このシャツはきれいに {a しません　b なりません}。

POINT ポイント3 「～てある」と「～ている」

～てある→ある目的(もくてき)をもって意志的(いしてき)に行(おこな)った動作(どうさ)の結果(けっか)がそのまま残(のこ)っている状態(じょうたい)
　　　　（他動詞(たどうし)の文が「～てある」の形(かたち)になることが多い。）

　　A state where the result of one action done intentionally with a certain objective remains as it is.
　　(A transitive verb-based sentence often takes the pattern "～てある".)
　　表示抱着某个目的有意识地执行的动作结果的存续状态。
　　("他动词的语句大多以"～てある"的形式出现。)
　　어떤 목적을 가지고 의지적으로 행한 동작의 결과가 그대로 남아있는 상태
　　(타동사의 문장이 「～てある」의 형태로 되는 경우가 많다.)

ねこがいつでも入れるように、ドアを開けました。

↓

見てください。ドアが開けてあります。

～ている→目的、意志があったかどうかには関係(かんけい)なく、あるできごとの結果が残ってい

　　　　る状態→10課
　　　　（自動詞(じどうし)の文が「～ている」の形になることが多い。）

　　A state where the result of an event remains regardless of having an objective or intention.
　　(An intransitive verb-based sentence often takes the pattern "～ている".)
　　表示与有无目的、意识无关的某个动作结果的存续状态。
　　(自动词的语句大多以"～ている"的形式出现。)
　　목적, 의지가 있었는지의 여부와 관계 없이 어떤 사건의 결과가 남아있는 상태
　　(자동사의 문장이 「～ている」로 되는 경우가 많다.)

机(つくえ)の上から本(ほん)が落(お)ちました。　→　あれ、本が落ちていますよ。

問題3 ｛　｝の中のどちらかの動詞を使って、「～てあります」の文か「～ています」の文を作りなさい。

1. ｛入れる　　入る｝
   あれ、スープに虫が_____ますよ。

2. ｛開ける　　開く｝
   A：寒いですね。窓を閉めましょう。
   B：ちょっと待ってください。新しい空気を入れるために_____んです。

3. ｛落とす　　落ちる｝
   こんなところにさいふが_____ます。だれのでしょうか。

4. ｛汚す　　汚れる｝
   まあ、どうしたんですか。シャツが_____ますよ。

5. ｛壊す　　壊れる｝
   あれ、このテレビは_____ますよ。音が出ません。

6. ｛止める　　止まる｝
   ＜玄関で＞
   学生：こんにちは。先生、お迎えに来ました。家の前にわたしの車が_____ます。どうぞお乗りください。

7. ｛出す　　出る｝
   空に星がたくさん_____ますね。きれいですね。

8. ｛並べる　　並ぶ｝
   映画館の前に人がおおぜい_____ます。

9. ｛切る　　切れる｝
   窓のそばの木はみんな_____んです。部屋に光が入るように……。

10. ｛集める　　集まる｝
    もうすぐ入学式が始まります。学生たちはもうみんな_____ます。

11. ｛消す　　消える｝
    A：家の中が暗いですね。
    B：ええ、電気代が高いので、使わない部屋の電気は_____んです。

12. { 開ける　開く }

    <電車の中で>

    あれ、かばんが＿＿＿＿＿＿＿＿ますよ。危ないですよ。

13. { 始める　始まる }

    9時半ですよ。授業はもう＿＿＿＿＿＿＿＿ますよ。早く、早く。

14. { つける　つく }

    まだたばこに火が＿＿＿＿＿＿＿＿ますよ。それをごみ箱に捨てたら、火事になりますよ。

15. { 切る　切れる }

    A：けさの新聞でベトナム料理の作り方を読みました。作ってみたいなあ。

    B：ああ、あのページはちゃんと＿＿＿＿＿＿＿＿ますよ。ほら、これでしょう。

問題4　どちらか適当な方を選びなさい。

きょうはおいしいクッキーの作り方を紹介しましょう。

まず、ボールにさとうとバターを用意してください。

そして、よく ①{ a 混ぜます　b 混ざります }。

バターがだんだん ②{ a 溶かして　b 溶けて }、やわらかく

③{ a します　b なります }。次に、ガスに ④{ a 火をつけて　b 火がついて }、

オーブン ⑤{ a をあたためます　b があたたまります }。

その間に、ボールの中に卵と小麦粉 ⑥{ a を入れて　b が入って }、全体を大きく

ゆっくりかきまぜます。

鉄板の上に、スプーンでこの材料を少しずつ ⑦{ a 落とします　b 落ちます }。

材料が固すぎたらうまく ⑧{ a 落としません　b 落ちません } から、気をつけてく

ださい。

オーブンの中が180度ぐらいに ⑨{ a したら　b なったら }、この鉄板

⑩{ a を入れます　b が入ります }。

20分ぐらいで ⑪{ a 焼きます　b 焼けます } から、オーブンから ⑫{ a 出して

b 出て } ください。

紙の上に ⑬{ a のせて　b のって }、よく ⑭{ a さまして　b さめて } ください。

最後にきれいな皿の上に ⑮{ a 並べます　b 並びます }。

13課 可能表現
Expressions of potential

可能表現
가능 표현

TEST スタートテスト

問題Ⅰ どちらか適当な方を選びなさい。

1. わたしは日本語が少し {a 話せます　b 話されます}。
2. この部屋は何時まで {a 使える　b 使う} ことができますか。
3. ＜面接試験で＞
   会社の人：田中さんは中国語が {a させられますか　b できますか}。
4. わたしはカタカナのことばが {a 覚えれません　b 覚えられません}。
5. ＜日本語の教室で＞
   A：この漢字が {a 読めますか　b できますか}。　南
   B：はい、「みなみ」です。

問題Ⅱ どちらか適当な方を選びなさい。

1. 山田さん、あの本だなの上の箱をとってくださいよ。背が高いから、{a とる　b とれる} でしょう。
2. この窓は壊れていて {a 開かないんです　b 開けないんです}。
3. あれ、電気が {a つきません　b つけません}。壊れたのでしょうか。
4. この荷物は大きすぎてこの袋には {a 入りません　b 入れません}。
5. 大山さんが疲れたからすわりたいと言っています。でも、体が大きいので、この小さいいすには {a すわらないのです　b すわれないのです}。

POINT ポイント1-1　可能表現の意味
(Meaning of potential expressions ／ 可能表現的含义 ／ 가능 표현의 의미)

(1) 技術的、身体的な能力を表す場合

　　When expressing technical or physical capability
　　表示技术上、身体上的能力的场合　／　기술적, 신체적인 능력을 나타낼 경우

　　タンさんはギターが**弾**けます。

　　山田さんはとても**速**く**走る**ことができます。

(2) 状況や決まりなどで可能・不可能の場合

　　When expressing possibility according to conditions, rules, etc.
　　表示状况、规定等的可能和不可能的场合　／　상황이나 결정 등으로 가능・불가능의 경우

　　山の上では夏でもスキーができます。

　　日本では、法律で二十歳にならないとお酒が**飲**めません。

POINT ポイント1-2　可能表現の形
(Form of potential expressions ／ 可能表現的形式 ／ 가능 표현의 형태)

(1) 辞書形+ことができます　　Nができます

　　タンさんは日本語を**話す**ことができます。

　　タンさんは**日本語**ができます。

　　放送局は、午後2時から**見学**ができます。

　　＊「Nができます」のNは、する動詞の名詞の部分（見学、練習など）や、「外国語、スポーツ、楽器」などの名詞。

(2) 可能動詞　→ポイント2

問題1　「ことができます／できません」を使って、文を完成しなさい。

例　A：リュウさんは一人で空港まで **行くことができます**　　　　　　か。
　　B：はい、もちろんできます。

1．A：日本では、高校生がアルバイトを＿＿＿＿＿＿＿＿＿＿＿＿＿＿＿＿か。
　　B：ええ、だいじょうぶですよ。

2．学生　　：この図書館では、辞書を借＿＿＿＿＿＿＿＿＿＿＿＿＿＿＿＿か。
　　図書館員：すみません。辞書と雑誌の貸し出しはしていません。

3．病院の前に車を止＿＿＿＿＿＿＿＿＿＿＿＿＿＿＿か。

4．ソウルには1日しかなかったので、あまり見物を＿＿＿＿＿＿＿＿＿＿＿＿＿＿＿。

5．外は大雨で、かさをささないで歩＿＿＿＿＿＿＿＿＿＿＿＿＿＿＿。

POINT ポイント2　可能動詞 (Potential verbs ／ 可能动词 ／ 가능 동사)

（1）可能動詞の作り方

動詞1	会う→会える　あいうえお 書く→書ける　かきくけこ 立つ→立てる　たちつてと 飛ぶ→飛べる　ばびぶべぼ	動詞2	食べる＋られる→食べられる
		動詞3	来る→来られる する→できる

（2）注意

①コンピューターを使う。→コンピューターが使える。

（「を」を「が」に変えることが多い。）

②「辞書形＋ことができます」と可能動詞はほとんど同じように使えます。ただし、可能動詞のほうが口語的です。

また、ほかのことばがついて、動詞そのままの形にならないときは「～ことができます」のほうが多く使われます。

"～ことができます" and a potential verb can be used in almost the same way.
However, a potential verb is more colloquial. Also, if another phrase is added, and the verb cannot be used as is, the expression "～ことができます" is more frequently used.
"～ことができます"和可能动词表达的意思基本上相同。
但是，可能动词更口语化。另外，当接有其它词而不能直接使用动词的可能形时，
常使用"～ことができます"。
「～ことができます」와 가능 동사는 대부분 동일하게 사용할 수 있습니다.
단, 가능 동사쪽이 구어적입니다. 또한 다른 말이 붙어 동사 그 자체의 형태가 되지 않을 때에는
「～ことができます」쪽이 자주 사용됩니다.

わたしは中国語の文を読むことだけはできますが、話すことはほとんどできません。
授業中、携帯電話を受けたりかけたりすることはできません。
入場券を買わないで会場に入ることはできません。
とても疲れていて、立ち上がることもできません。

問題2-1 表の中に可能動詞を書きなさい。

書く		走る	
帰る		飲む	
置く		持つ	
話す		起きる	
遊ぶ		食べる	
読む		する	
泳ぐ		来る	

問題2-2 （ ）の中の動詞を可能動詞にして、＿＿＿の上に書きなさい。

例1　めがねをかけると、小さい字でもよく　**読めます**　　　　　。（読む）

例2　この本は漢字が多いので、難しくて　**読めません**　　　　。（読む）

1．1日にいくつ新しい漢字が＿＿＿＿＿＿＿＿＿＿＿＿か。（覚える）

2．この荷物は重くて一人で＿＿＿＿＿＿＿＿＿＿。（運ぶ）

3．この子はまだ小さいので、一人でおふろに＿＿＿＿＿＿＿＿＿＿。（入る）

4．こんなにたくさん、一人では＿＿＿＿＿＿＿＿＿＿。（食べる）

5．スミスさんは英語もドイツ語も中国語も＿＿＿＿＿＿＿＿＿＿。（話す）

6．この川の水は＿＿＿＿＿＿＿＿＿＿。飲むと、おなかが痛くなります。（飲む）

7．この店にはジュースやお茶しかありません。お酒は＿＿＿＿＿＿＿＿＿＿。
　　　　　　　　　　　　　　　　　　　　　　　　　　　（注文する）

8．コンピューターの故障が直りました。Eメールが＿＿＿＿＿＿＿＿＿＿よう
　　になりました。　　　　　　　　　　　　　　　　（送る）

9．子どもが1歳半になりました。＿＿＿＿＿＿＿＿＿＿ようになりました。
　　　　　　　　　　　　　　　　　　　（歩く）

10．毎日忙しくて、友だちといっしょに映画を見に＿＿＿＿＿＿＿＿＿＿。
　　　　　　　　　　　　　　　　　　　　　　　（行く）

> **POINT** ポイント3　可能の意味がある動詞（Verbs that have the meaning of possibility
> 含有可能意思的动词／가능의 의미가 있는 동사）

（1）可能の意味がある動詞は、可能動詞を使う必要はありません。

　　It is not necessary to use a potential verb for verbs that have the meaning of possibility.
　　含有可能意思的动词不需要使用可能动词。
　　가능의 의미가 있는 동사는 가능 동사를 사용할 필요가 없습니다.

　　テレビの音が大きくて、電話の声がよく**聞こえません**。

　　きょうは天気がいいから、星がよく**見えます**。

　　山田先生はゆっくり話してくださるので、よく**わかります**。

（2）無生物が主語の文には可能動詞は使いません。

　　Potential verbs are not used in sentences where an inanimate object is the subject.
　　在无生命的物体充当主语的语句中，不使用可能动词。
　　무생물이 주어인 문장에서는 가능 동사를 사용하지 않습니다.

　　×あ、水がよく流れられません。→あ、水がよく流れません。

　　×電池がないので、このおもちゃは動けません。

　　→電池がないので、このおもちゃは動きません。

問題3　（　）の中の動詞を適当な形にして、＿＿＿＿の上に書きなさい。

例　このかばんは大きいから、たくさん　**入ります**　。（入る）

1．けがをしてしまったので、来週のスポーツ大会には＿＿＿＿＿＿。（出る）

2．工事中なので、こちらの入り口からは＿＿＿＿＿＿。（入る）　東口からお入りください。

3．テストは難しくて、ぜんぜん＿＿＿＿＿＿。（わかる）

4．きょうは長い時間歩いたので、疲れました。もう＿＿＿＿＿＿。（歩く）

5．＜新幹線の車内で＞晴れた日は、こちら側から富士山がよく＿＿＿＿＿＿。（見える）

6．＜海外ニュースで＞

　　A：もしもし、こちらは東京です。バグダッドの山本さん、＿＿＿＿＿＿か。
　　　　　　　　　　　　　　　　　　　　　　　　　　　　　　（聞こえる）

　　B：はい。バグダッドの山本です。

7．A：この手紙、3、4日でアメリカに＿＿＿＿＿＿でしょうか。（着く）

　　B：さあ、難しいでしょう。

8．あれ、このパソコン、＿＿＿＿＿＿なってしまいました。（動く）　壊れたのでしょうか。

14課 事実か、気持ちが入っているか

Is it fact or one's imagination?

是事实还是带有感情色彩
사실 또는 기분이 담겨 있는가

TEST スタートテスト

問題I　どちらか適当な方を選びなさい。

1．このボタンを押すと、{ a 切符を出してください　　b 切符が出ます }。
2．暖かくなると、{ a 桜が咲きます　　b 桜を見に行きましょう }。
3．とても暑くて、{ a 寝られません　　b クーラーを入れてください }。
4．わたしがいっしょうけんめい料理を作ったのに、みんなは { a 食べません　　b 食べないでください }。
5．パソコンの調子が悪くて { a メールができません　　b 新しいのを買ってください }。

問題II　どちらか適当な方を選びなさい。

1．桜が { a きれいだから　　b きれいで }、散歩しませんか。
2．先生：あしたは { a 雨でも　　b 雨なのに } 外で練習をしますよ。
3．先生、上海に { a 来れば　　b 来たら }、連絡してください。
4．この道は { a 危険だから　　b 危険で }、通らないでください。
5．{ a 忙しくても　　b 忙しいのに } お礼の手紙はすぐ出しなさい。

POINT ポイント1	事実を述べた文か、話す人の気持ちが入っている文か

(Is it a sentence expressing a fact or the speaker's imagination?／是描述事实的语句，还是带有说话人感情色彩的语句
사실을 진술한 문장인가, 이야기하는 사람의 기분이 담겨 있는 문장인가)

（1）事実の文　A sentence telling a fact／描述事实的语句／사실의 문장

　　この本の中に「さくら」という歌があります。

　　窓を開けると、海が見えます。

　　みんなで歌を歌いました。

（2）話す人の意志や気持ちや希望が入っている文
　　　A sentence expressing the speaker's will, imagination or hope
　　　带有说话人的意志、感情、希望的语句／말하는 사람의 의지, 기분, 희망이 포함되어 있는 문장

　　＜カラオケで＞

　　じゃ、次にわたしが「さくら」を歌います。

　　じゃ、わたしが歌いましょう／歌おう。

　　わたしは「さくら」を歌うつもりです／歌おうと思っています。

　　じゃ、わたしが歌うことにします。

　　わたしも歌いたいです。

問題1　_____のことばに話す人の意志や気持ちがありますか。あるものには（　　）の中に○を書きなさい。

（○）例　わたし、あしたは9時に来ます。

（　）1．今、9時です。

（　）2．きょう、田中さんにこの本を返すことにします。

（　）3．この犬の名前はボンです。

（　）4．わたしは新しいパソコンがほしいです。

（　）5．リンさんはきのう学校を休みました。

（　）6．田中さんは今、食堂でご飯を食べています。

（　）7．冬になると雪が降ります。

（　）8．田中さんはあした来ると思います。

（　）9．A：おいしいケーキがあるんだけど、食べる？　B：うん、食べる、食べる。

（　）10．まりちゃん、早く来て。

POINT ポイント2 　相手に働きかけのある文
（ A sentence that encourages the other party
含有劝诱对方的意思的语句 ／상대방에 대한 권유가 들어있는 문장 ）

この歌を歌いなさい／歌え。

病院の中では、大きい声で歌ってはいけません／歌うな。

この歌を歌ってください。

いっしょに歌いましょう／歌おう／歌いませんか。

みんなでいっしょに歌ったらどうですか。

早く歌ったほうがいいですよ。

問題2　「相手への働きかけのある文」には、（　）の中に○を書きなさい。

（○）　例　今度の日曜日、サッカーを見に行きませんか。
（　）　1．母：7時ですよ。早く起きなさい。
（　）　2．わたしは、けさ7時に起きました。
（　）　3．わたしは来週タイのバンコクに行くことになりました。
（　）　4．この部屋は暗くて本が読めません。
（　）　5．先輩：あしたはもっと早く来い。
（　）　6．すみません。ここではたばこを吸わないでください。
（　）　7．右に曲がると、公園があります。
（　）　8．一郎：友子、結婚しよう。
（　）　9．今、兄は新聞を読んでいます。
（　）　10．みんなで相談したらどうですか。

POINT ポイント3 文法的なルール (Grammatical rules ／ 语法规则 ／ 문법적인 규칙)

文の終わりに「話す人の意志や相手への働きかけ」が使えない文があります。

$$\left.\begin{array}{l}～て（理由）、\\ ～と、\\ ～（動作動詞）ば、\\ ～のに、\end{array}\right\}$$ × 「話す人の意志や働きかけのある文」
A sentence that shows the speaker's will or encouragement （movement）
说话人的意志、劝诱对方的语句
말하는 사람의 의지나 권유가 들어있는 문장

寒くて、窓を閉めてください。
暗くなると、電気をつけましょう。
京都へ行けば、おみやげを買ってきてください。
眠いのに、今晩は2時まで勉強しよう。

$$\left.\begin{array}{l}～から、\\ ～たら、\\ ～なら、\\ ～ても、\end{array}\right\}$$ ○ 「話す人の意志や働きかけのある文」

寒い**から**、窓を閉めてください。
暗くなっ**たら**、電気をつけましょう。
京都へ行く**なら**、おみやげを買ってきてください。
眠く**ても**、今晩は2時まで勉強しよう。

問題3　どちらか適当な方を選びなさい。

1．この薬を｛a 飲んだら　　b 飲めば｝すぐ寝たほうがいいですよ。
2．今は会議中なので、4時に｛a なったら　　b なると｝来てください。
3．母：にんじんが｛a きらいでも　　b きらいなのに｝、全部食べなさい。
4．赤ちゃんが｛a 寝ていて　　b 寝ていますから｝、静かにしてください。
5．｛a 危ないですから　　b 危なくて｝、黄色い線の内側にお下がりください。
6．今度の同窓会には｛a 忙しくても　　b 忙しいのに｝出席しようと思っています。
7．日曜日なのに会社で｛a 仕事をしています　　b 仕事をしなさい｝。
8．これ、みんなが食べないのなら、｛a わたしが食べますよ　　b 残ってしまいました｝。

15課 条件など

Conditions, etc.
条件等
조건 등

TEST スタートテスト

問題Ⅰ どちらか適当な方を選びなさい。

1．A：あした、大阪へ行ってきます。
　　B：じゃあ、田中さんに ｛a 会えば　　b 会ったら｝、「よろしく」と言ってください。

2．A：イタリア語を習いたいんですが。
　　B：イタリア語を ｛a 習うなら　　b 習えば｝、イタリア文化会館がいいですよ。

3．A：先生、ちょっと今いいですか。
　　B：今、忙しいので、4時に ｛a なるなら　　b なったら｝ 来てください。

4．＜バスの中で＞
　　このボタンを ｛a 押すと　　b 押すなら｝、次の停留所で止まります。

5．わたしは中国人ですから、日本語の新聞は漢字を ｛a 読めば　　b 読むなら｝、意味がだいたいわかります。

問題Ⅱ どちらか適当な方を選びなさい。

1．ドアの前に立つと、｛a ドアが開きます　　b ドアを開けなさい｝。
2．急げば、9時の電車に ｛a 乗れます　　b 乗ります｝。
3．ひまだと、｛a ビデオを見ていることが多いです　　b ビデオを見ませんか｝。
4．安いと、｛a 買いましょう　　b みんなが買うでしょう｝。
5．A：今度、田中先生の「日本語Ⅱ」の授業を受けることにしたんです。
　　B：そうですか。田中先生の授業に出るなら、｛a 予習したほうがいいですよ　　b 難しくてわかりません｝。

— 86 —

POINT ポイント1　～たら

(1)（もし）～たら、…。　「～たら」で仮定条件を表します。

"～たら" shows subjunctive conditions (conditions of assumption)
"～たら"表示假定条件。／「～たら」로 가정 조건을 나타냅니다.

　　もし、いい料理の本があったら、買ってきてください。

　　今度の日曜日、（もし）いい天気だったら、山へ行きましょう。

　　もし車がなかったら、不便です。

(2) ～たら、…。　「～たら」で「そうなった後で」という意味を表します。
　　　　　　　　「～」は動詞だけ。

"～たら" shows the meaning "after what came or occurred". "～" can be a verb only.
"～たら"表示"那样之后…"的意思。"～"只能是动词。
「～たら」로「그렇게 된 다음에」라는 의미를 나타냅니다.「～」은 동사만.

　　二十歳になったら、お酒が飲めます。

　　授業が終わったら、受付に来てください。

　　夏休みになったら、国へ帰ります。

　　家に帰ったら、手をよく洗いなさい。

(3)「～たら」の形

動詞	話す	話したら	話さなかったら
イ形容詞	大きい	大きかったら	大きくなかったら
ナ形容詞	元気	元気だったら	元気で（じゃ）なかったら
名詞	鳥	鳥だったら	鳥で（じゃ）なかったら

(4)「～たら、…。」の「…」には、いろいろな文を使うことができます。

　　暖かくなったら、花見に
　　　　　　　　　　　　｛行きます。
　　　　　　　　　　　　　行きましょう。
　　　　　　　　　　　　　連れて行ってください。
　　　　　　　　　　　　　行きなさい。
　　　　　　　　　　　　　行かなければなりません。
　　　　　　　　　　　　　行ったほうがいいです。

問題 1-1 適当な形を書きなさい。

行く	行ったら	行かなかったら	大きい	大きかったら	大きくなかったら
ある			いい		
食べる			静か		
来る			親切		
する			子ども		

問題 1-2 （　）のことばを「～たら」の形にして、_____の上に書きなさい。

1．A：来週、北京に行きますが、おみやげは何がいいですか。
　　B：そうですね。もし、ねこのおもちゃが_____、買ってきて
　　　ください。　　　　　　　　　　　　　　　　　　（ある）

2．田中さん、きょうは元気がありませんね。もし、気分が_____、
　　帰ってもいいんですよ。　　　　　　　　　　　　　　（悪い）

3．これはなっとうという食べ物ですが、もし、_____、食べない
　　で残してください。　　　　　　　　　　（きらい）

4．もし_____、「ちあき」という名前をつけましょう。（女の子）

5．国へ_____、だれにいちばん会いたいですか。（帰る）

6．兄は夕方に_____、帰ってきます。（なる）

7．荷物が8日までに_____、郵便局に聞いてみてください。
　　　　　　　　　（着かない）

8．もし、あなたが_____、どんなことをしますか。（先生）

9．足が_____、あの山に登ることができないでしょう。（強くない）

10．あしたは休みですね。_____、どこかへ行きませんか。
　　　　　　　　（雨じゃない）

POINT ポイント2　～ば・～なら

(1) ～ば、…。／～なら（ば）、…。「～ば、～なら」で仮定条件を表します。

　　めがねをかければ、見えます。めがねをかけなければ、見えません。

　　もし、安ければ、買います。もし、安くなければ、買いません。

　　もし、いい天気なら、テニスをします。もし、雨なら、うちにいます。

(2) 動詞とイ形容詞は「ば」、ナ形容詞と名詞は「なら」を使います。

(3)「ば」の形

動詞1	話す → 話せば	話さな~~い~~+ければ → 話さなければ
	ある → あれば	な~~い~~+ければ → なければ
動詞2	食べ~~る~~+れば → 食べれば	食べな~~い~~+ければ → 食べなければ
動詞3	す~~る~~+れば → すれば	しな~~い~~+ければ → しなければ
	来~~る~~+れば → 来れば	来な~~い~~+ければ → 来なければ
イ形容詞	大きい → 大きければ	大きくな~~い~~+ければ → 大きくなければ
	例外 いい → よければ	よくな~~い~~+ければ → よくなければ

(4)「なら」の形

ナ形容詞	元気 → 元気なら	元気で(じゃ)ない → 元気で(じゃ)なければ
名詞	鳥 → 鳥なら	鳥で(じゃ)ない → 鳥で(じゃ)なければ

(5)「～ば、…。」の「～」が動作動詞のとき、「…」に話す人の意志・依頼・命令・許可などの文を使うことはできません。

In a sentence containing "～ば、…。", if "～" is the action verb, the speaker's will, request, order or permission cannot be expressed in "…".

"～ば、…。"的"～"是动作动词时，"…"中不能使用表示说话人的意志、请求、命令、许可等的语句。

「～ば、…。」의 「～」가 동작 동사일때, 「…」에서 말하는 사람의 의지・의뢰・명령・허가 등의 문장은 사용할 수는 없습니다.

　　　　　　　　　　　　　｛飲みなさい。
　　　　　　　　　　　　　　飲んでください。
　　　　　　　　　　　　　　飲もう。
　　かぜをひけば、この薬を｛飲んでみます。　　×
　　　　　　　　　　　　　　飲みませんか。
　　　　　　　　　　　　　　飲んでもいいです。
　　　　　　　　　　　　　｛飲まなければなりません。

状態を表すことば、「ある、いる、要る、可能動詞、形容詞」などは例外です。

　　　〇高くなければ、買いたいです。

問題2−1 適当な形を書きなさい。

書く		書かなければ
飲む		
旅行する		
安い	安ければ	
広い		
きれい		きれいで(じゃ)なければ
病気	病気なら	

問題2−2 （　）の中のことばを「〜ば、〜なければ」「〜なら、〜でなければ」の形にして、_____の上に書きなさい。

1. この文は難しくないですから、ゆっくり_____わかります。（読む）
2. 祖母はめがねを_____、小さい字が読めません。（かけない）
3. もし、飛行機代がもっと_____、1年に何回も国へ帰りたいです。（安い）
4. もし、そのプリンターがあまり_____、買いたいです。（高くない）
5. 林さん、あした、もし_____展覧会を見にいきませんか。（ひま）
6. A：このシャツ、青いのもありますか。
   B：すみません。今、ないんです。黄色い_____ありますが……。（シャツ）
7. この学校には男の子は入れません。_____入学できません。（女の子でない）
8. 日本語が_____、日本の生活で困ることはないでしょう。（できる）
9. このかぜが_____、水泳大会に出られません。（治らない）
10. もしその道具の使い方が_____、子どもでも使えます。（簡単）

POINT ポイント3　～と

(1) ～と、…。　「～と、…。」の形で、「～」が成立した場合、必然的に「…」が成立することを表します。自然のこと、機械の使い方、道順などを言うときによく使われます。

A sentence "～と、…。" shows that, if "～" is done, "…" is necessarily realized.
It is often used when speaking of nature-related facts, use of machines, giving directions (location), etc.
"～と、…。"的句型表示"～"成立的情况下，"…"必然成立。
常用于表达自然、机器的使用方法、路线等情况。
「～と、….」의 형태로 「～」가 성립했을 경우, 필연적으로 「…」이 성립하는 것을 나타냅니다.
자연스러운 일, 기계의 사용 방법, 길의 순서 등을 묻는 방법 등에서 흔히 사용됩니다.

この地方では冬になると、雪が降ります。

＜テープレコーダーの使い方の説明＞

このボタンをまわすと、音が大きくなります。

このボタンを押すと、テープが止まります。

右に曲がると、本屋があります。

天気がいいと、ここから富士山が見えます。

(2) 「と」の形　　ふつう形の現在形（動詞・イ形容詞・ナ形容詞・名詞）＋と

(3) 「～と、…。」の「…」に話す人の意志・依頼・命令・許可などの文を使うことはできません。

In a sentence containing "～と、…。", a phrase to show the speaker's will, a request, order, or permission cannot be expressed in "…".
"～と、…。"的"…"不能使用表示说话人的意志、请求、命令、许可等的语句。
「～と, ….」의 「…」에 말하는 사람의 의지・의뢰・명령・허가 등의 문장을 사용할 수 없습니다.

暖かくなると、花見に ｛ 行きましょう。　行きませんか。
行こう。　　　行ってもいいです
行ってください。　行かなければなりません。
行きなさい。 ｝ ✗

暖かくなると、いつもみんなで花見に**行きます**。(習慣)（Habits）（习惯）（습관）

暖かくなると、花が**咲きます**。(自然現象)（Natural phenomena）（自然现象）（자연 현상）

暖かくなったら、花見に**行きましょう**。

問題3-1 （ ）のことばを「～と」の形にして、＿＿＿の上に書きなさい。

例．辞書を__**引かないと**__、意味がよくわかりません。（引かない）
1．わたしはお酒を＿＿＿＿＿＿、眠くなります。（飲む）
2．旅行かばんは＿＿＿＿＿＿、売れません。（重い）
3．このテープレコーダーはこのボタンを＿＿＿＿＿＿、声が聞こえません。（押さない）
4．＿＿＿＿＿＿、東京から沖縄まで何時間かかりますか。（船）
5．部屋が＿＿＿＿＿＿、よく寝られます。（静か）
6．この道は暗いです。夜＿＿＿＿＿＿、危ないです。（一人）
7．医者：よく＿＿＿＿＿＿、元気になりませんよ。（休まない）
8．橋を＿＿＿＿＿＿、右側に公園があります。（渡る）
9．町が＿＿＿＿＿＿、気持ちがいいです。（きれい）
10．＿＿＿＿＿＿、たくさん食べられます。（おいしい）

問題3-2 どちらか適当な方を選びなさい。

1．このボタンを押すと、｛a おつりが出ます　b おつりを出してください｝。
2．夏になると、｛a 長い休みがあります　b 国へ帰るつもりです｝。
3．練習しないと、｛a 上手になりません　b 上手にしません｝。
4．うちの子はおいしくないと、｛a 食べなくてもいいです　b 食べません｝。
5．学生だと、｛a 30％安くなります　b 70％払いなさい｝。
6．のどがかわくと、｛a 冷たいものが飲みたくなります　b 冷たいものを飲みましょう｝。
7．暗いと、｛a よく見ていなさい　b 何も見えません｝。
8．うるさいと、｛a よく聞きましょう　b よく聞こえません｝。

POINT ポイント4　～なら

(1) ～なら、…。「～なら」で話し相手の言ったことや様子、状況を受けて、「…」で話す人のアドバイス、意志、気持ち、意見、依頼などを言います。

> Based on what the other party has said about conditions, the state of something, etc., by using the phrase "～なら", the speaker's advice, will, feeling, opinion, request, etc. is expressed in the subsequent sentence "…".
> "～なら"表示接受对方所说的事情、状态、情况等，"…"表示说话人的劝告、意志、心情、意见、请求等。
> 「～なら」에서 말하는 상대방이 말한 것, 모습, 상황을 받아서 「…」로 말하는 사람의 어드바이스, 의지, 기분, 의견, 의뢰 등을 말합니다.

A：コンピューターを買いたいんですが、どこがいいですか。
　↓
B：コンピューターを買う なら、新宿駅前の店がいいですよ。

A：タンさんはいませんか。
　↓
B：タンさん なら、今、食事に出かけましたよ。

(2)「なら」の意味を強調する場合に「の・ん」を入れることがあります。

> To emphasize the meaning of "なら", "の・ん" is occasionally used.
> 为了强调"なら"的意思，有时也在前面加入"の、ん"。
> 「なら」의 의미를 강조할 경우에는「の・ん」을 넣을 경우가 있습니다.

息子：中国に留学したいんだけど、いいでしょうか。
　↓
両親：あなたが行きたいと思う のなら、わたしたちも賛成しますよ。

(3)「～なら」の形　　ふつう形＋なら　　例外　ナ形容詞（だ）・名詞（だ）

問題4 例のように、「なら」を使って、＿＿＿＿の上に書きなさい。

例　A：来月、北京に行きます。

　　B：＿**北京に行くなら**＿＿＿、おみやげを買ってきてください。

1．A：あの、熱があるみたいなんです。

　　B：＿＿＿＿＿＿＿＿＿＿＿、早く帰って寝たほうがいいですよ。

2．A：ちょっと、スーパーに行ってきます。

　　B：そう、＿＿＿＿＿＿＿＿＿＿＿、パンを買ってきて。

3．A：このセーターいいでしょう。デパートで2,000円で売っていましたよ。

　　B：ほんと！＿＿＿＿＿＿＿＿＿＿＿、わたしも買いたいです。

4．A：すみません。電話をお借りしたいんですが……。

　　B：＿＿＿＿＿＿＿＿＿＿＿、あちらのドアの前にありますよ。

5．A：お昼はラーメンが食べたいですね。

　　B：＿＿＿＿＿＿＿＿＿＿＿、駅前のスリーエーが安くて、おいしいですよ。

問題5 どちらか適当な方を選びなさい。

1．今2時半ですね。3時に｛a なるなら　b なったら｝、休みましょう。

2．子どもの時から日本のまんがが好きだったので、｛a 留学するなら　b 留学すれば｝、日本へ行きたいと思っていました。

3．自分の声を録音して、｛a 聞いてみると　b 聞いてみるなら｝、ほかの人の声のように聞こえるのでびっくりします。

4．わたしはここで待っていますから、会議が｛a 終わると　b 終わったら｝、携帯に電話してください。

5．あなたが日本に｛a 来たら　b 来ると｝、必ず会いましょう。

6．きょうは5時まで教員室にいます。もし何か質問が｛a あれば　b あると｝、来てください。

7．先生の注意をよく｛a 聞かないと　b 聞かないなら｝、わかりません。

16課 授受　だれがだれに？

Giving and receiving

授受
주고 받음

TEST　スタートテスト

問題Ⅰ　適当なことばを選びなさい。

1. わたしはみちこさんの結婚祝いに花びんを_____。
   { a あげました　b くれました　c もらいました }

2. まり子さんはわたしの誕生日に花を_____。
   { a あげました　b くれました　c もらいました }

3. わたしは森田先生からお手紙を_____。
   { a さしあげました　b くださいました　c いただきました }

4. バレンタインデーにぼくはゆりさんからチョコレートを_____。
   { a あげました　b くれました　c もらいました }

5. このパンフレット、_____いいですか。ちょっと読みたいんです。
   { a あげても　b くれても　c もらっても }

問題Ⅱ　適当なことばを選びなさい。

1. 中山さんは春子さんを車で送って_____。
   { a あげました　b くれました　c もらいました }

2. 子どものころわたしは母にかわいい服を作って_____。
   { a あげました　b くれました　c もらいました }

3. 仕事が多くて困っていたら、リーさんが手伝って_____。
   { a あげました　b くれました　c もらいました }

4. わたしはスピーチの作文を山中先生に直して_____。
   { a さしあげました　b くださいました　c いただきました }

5. 大川さんの町は桜がきれいだそうです。わたしを花見に誘って_____、あさって行こうと思います。
   { a あげたので　b くれたので　c もらったので }

POINT ポイント1　ものの授受（Giving and receiving things／物品的授受／사물의 주고 받음）

A　[与える人]は／が [ものを受ける人]に [　]をくれます・くださいます
　　　×わたし　　　　わたし わたしの家族など　　＊1 与える人　The giver／给的人／주는 사람
　山中さんはわたしに花をくれました。　　＊2 ものを受ける人　The receiver／接受的人／사물을 받는 사람

B　[ものを受ける人]は／が [与える人]に／から [　]をもらいます・いただきます
　　　　　　　　　　　　　×わたし
　わたしはじろうさんにプレゼントをもらいました。

C　[与える人]は／が [ものを受ける人]に [　]をあげます・さしあげます・やります
　　　　　　　　　　×わたし
　田中さんは中山さんにプレゼントをあげました。

＊「やります」は動物や植物、子どもなどに対して使います。

問題1　絵を見て、例のように文を作りなさい。

例　ヤンさんはわたしに　**CDをくれました**　。
1．わたしはアンさんに＿＿＿＿＿＿＿＿＿。
2．たかしさんはアンさんに＿＿＿＿＿＿＿＿＿。
3．わたしはケンさんに＿＿＿＿＿＿＿＿＿。
4．田中先生はわたしに＿＿＿＿＿＿＿＿＿。
5．わたしは山中先生に＿＿＿＿＿＿＿＿＿。
6．大山さんはわたしに＿＿＿＿＿＿＿＿＿。
7．わたしはみちこさんから＿＿＿＿＿＿＿＿＿。

POINT ポイント2 行為の授受 (Offering and receiving assistance ／ 行为的授受 ／ 행위의 주고 받음)

(1) 行為の授受の文

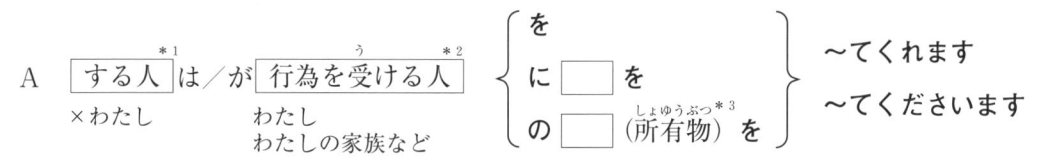

A ｜する人*1｜は／が ｜行為を受ける人*2｜ { を に ｜ ｜を の ｜ ｜(所有物)*3 を } ～てくれます
～てくださいます

×わたし　　わたし
　　　　　わたしの家族など

* 1　する人　The person who gives assistance ／ 实施行为的人 ／ 행하는 사람
* 2　行為を受ける人　The person who receives assistance ／ 接受行为的人 ／ 행위를 받는 사람
* 3　所有物　Property ／ 所有物 ／ 소유물

山中さんはわたしを1時間も待ってくれました。

中山さんはわたしにかさを貸してくれました。

町田さんはわたしのかばんを運んでくれました。

＊人の行為を受けて、感謝の気持ちをもっているときに使います。

This expression is used when a person feels grateful towards a person who has helped him/her.
在接受别人的行为，带着感谢的心情时使用。
다른 사람의 행위를 받고 감사의 기분을 가질 때 사용합니다.

B ｜行為を受ける人｜は／が ｜する人｜に(｜ ｜を) ～てもらいます
　　　　　　　　　　　×わたし　　　　　　　　　～ていただきます

わたしは友だちに助けてもらいました。

クラスのリーさんは事務室の人に書類を書いてもらいました。

＊人に行為を頼んで、その行為に感謝の気持ちをもっているときに使います。

This expression is used when a person who has asked for help feels grateful towards the person who helped him/her.
在请求别人的行为，对该行为带着感谢的心情时使用。
다른 사람에게 행위를 부탁하여 그 행위에 감사의 기분을 가질 때 사용합니다.

C   する人 は／が 行為を受ける人 { を／に □を／の □（所有物）を } ～てあげます／～てさしあげます／～てやります
    ×わたし

チンさんはマリアさんに漢字を教えてあげました。
わたしは犬におもちゃを買ってやりました。
田中さんはアンさんの作文を直してあげました。

＊他者のために、好意的な行為をするときに使います。「わたし」が主語のときは
好意のおしつけのような感じを与えるので、使いすぎないようにしましょう。

This expression is used when a person does something of benefit to another person.
When "わたし" is the subject of the sentence, it may give the impression that the favor is being forcefully imposed. Excessive use of this expression should be avoided.
在为了他人实施善意的行为时使用。在"我"充当主语时，有将善意行为强加于人的感觉，
因此请不要过多地使用。
다른 사람을 위해서 호의적인 행위를 할 때에 사용합니다. 「내」가 주어일 때에는 호의의 강요하는
것같은 느낌을 주므로 지나치게 많이 사용하지 않도록 합니다.

(2) 助詞に気をつけましょう。

A 「～てあげる　～てくれる」の文

①（人）を	②（人）に□を	③（人）の□（所有物）を	④（人）のために
連れていく	貸す	持つ	①②③以外の動詞
助ける	見せる	運ぶ	電気をつける
誘う	教える	洗う	窓を開ける
呼ぶ	知らせる	直す	調べる
送る	買う	そうじする	
待つ	作る		など
など	書く	など	
	など		

B 「～てもらう」の文はいつも「（人）に～てもらう」の形になります。

問題2 例のように▭で始まる文を作りなさい。（→→→は好意の方向を表します。）

例　あきこさん →→→ リーさん
音楽会に誘う
あきこさんは　リーさんを音楽会に誘ってあげました　　　　　　　　　　　。

1. タンさん →→→ わたし
   薬を買いに行く
   タンさんは　　　　　　　　　　　　　　　　　　　　　　　　　　　　。

2. 先生 →→→ わたし
   作文を直す
   先生は　　　　　　　　　　　　　　　　　　　　　　　　　　　　　　。

3. 山中さん →→→ わたし
   パーティーに招待する
   山中さんは　　　　　　　　　　　　　　　　　　　　　　　　　　　　。

4. タンさん →→→ わたしの弟
   宿題を手伝う
   わたしの弟は　　　　　　　　　　　　　　　　　　　　　　　　　　　。

5. 田中さん →→→ ミラーさん
   いい本を紹介する
   田中さんは　　　　　　　　　　　　　　　　　　　　　　　　　　　　。

6. 友だち →→→ わたし
   お金を貸す
   わたしは　　　　　　　　　　　　　　　　　　　　　　　　　　　　　。

7. 母 →→→ わたし
   ゆびわを買う
   母は　　　　　　　　　　　　　　　　　　　　　　　　　　　　　　　。

8. わたし →→→ マナさん
   部屋をそうじする
   わたしは　　　　　　　　　　　　　　　　　　　　　　　　　　　　　。

9．山中先生→→→ わたし

　　日本語を教える

　　わたしは_____。

10．先生 →→→子どもたち

　　本を読む

　　先生は_____。

問題3-1　どちらか適当な方を選びなさい。

1．｛a わたしは　　b まりこさんは｝妹に本をくれました。

2．これ、｛a だれに　　b わたしに｝あげるんですか。

3．わたしは毎日2回｛a 犬に　　b 隣のおばあさんに｝ご飯をやっています。

4．山川さんは｛a わたしの妹に　　b 奥さんに｝ゆびわを買ってあげたらしいです。

5．川田先生はよく｛a みなさんに　　b わたしたちに｝本を貸してくださいました。

6．うちの子は｛a おばさんに　　b わたしに｝おもちゃを買ってもらいました。

7．あしたテストがあることをだれも｛a みなさんに　　b わたしに｝教えてくれませんでした。

問題3-2　「あげる」「もらう」「くれる」を適当な形にして、_____の上に書きなさい。

1. A：いいセーターですね。だれに_____んですか。
   B：姉が作って_____んです。
2. わたしは消しゴムがなかったので、友だちに貸して_____。
3. わたしはきのう弟のおもちゃを直して_____。
4. わたしが入院したとき、友だちが見舞いに来て_____。
5. ゆうべ、リンさんがわたしとタイさんに夕飯をごちそうして_____。
6. わたしは子どものころ、母に本を読んで_____のが好きでした。
   それで、今、わたしは小さい子どもに本を読んで_____のが好きなのです。
7. いつかヤンさんが歌って_____歌はとてもいい歌でした。今度カラオケに行ったら、また歌って_____と思います。
8. 先生がていねいに説明して_____ので、わたしたちはよくわかりました。
9. 日曜日に、父にプールに連れていって_____つもりです。
10. 川中：大山さんはお子さんに毎日お弁当を作って_____んですか。
    大山：いいえ、毎日ではありません。1週間に2回だけですよ。
11. 姉は毎朝6時にボーイフレンドを電話で起こして_____ています。
12. タイに行ったら、旅行会社の人にバンコク市内を案内して_____ましょう。

16課　授受　だれがだれに？

17課 使役

Causative
しえき
사역

TEST スタートテスト

問題 I （　）の中の動詞を使役の形にして、＿＿＿＿＿の上に書きなさい。

1．ヤンさんは作文がきらいです。でも先生はヤンさんによく作文を＿＿＿＿＿＿ます。　　　　　　　　　　　　　　　　　　　　　　　　　　（書く）

2．お母さんは子どもにシャツを＿＿＿＿＿＿ました。（洗う）

3．きびしい練習ばかりさせないで、選手たちを自由に＿＿＿＿＿＿たほうがいいですよ。　　　　　　　　　　　　　　　　　　　　　　　　　　　　（泳ぐ）

4．みちこさんはおいしいケーキを作ってみんなを＿＿＿＿＿＿ました。（喜ぶ）

5．みなさま、お＿＿＿＿＿＿いたしました。それでは、ただいまから会を始めます。
　　　　　　　　（待つ）

問題 II どちらか適当な方を選びなさい。

1．たろう、このかばん、自分で｛a 持ちなさい　　b 持たせなさい｝。

2．A：ぼく、あした会社をやめるんです。
　　B：え、それ、うそでしょう。｛a おどろかないで　　b おどろかせないで｝ くださいよ。

3．A：その後、お体はいかがですか。
　　B：ありがとう。よくなりました。あなたにも ｛a 心配させてしまって
　　　　b 心配してしまって｝ ごめんなさい。

4．子どもには自分のことは自分で ｛a やらせた　　b やってもらった｝ ほうがいいですよ。

5．荷物が多くて困っていたら、田中君が半分 ｛a 持たせました
　　b 持ってくれました｝。

POINT ポイント1 使役文 (Causative sentences／使役语句／사역문)

1. 強制　Compulsion／強制／강제

　　わたしは犬を走らせました。

　　お母さんは子どもに荷物を持たせました。

2. 許可　やさしさ　Permission, kindness／許可、关切／허가·상냥함

　　先生は子どもたちを遊ばせました。

　　お母さんは子どもたちに好きなテレビゲームをやらせています。

3. 誘発　Induction／诱发／유발

　　よしおさんはおもしろいことをして子どもたちを笑わせました。

　　　　　　　　　　　　　　　　　　　　　　　　　よしおさん

＊自動詞の文→ 人 を　　　V（さ）せました。
　他動詞の文→ 人 に ▢ をV（さ）せました。
　ただし、「を」が重なる場合には、自動詞の文も「に」を使う。

　However, if "を" is duplicated, "に" is used even for intransitive verbs.
　但是，"を"重复的情况下，自动词也使用"に"。
　단, 「を」를 겹칠 경우에는 자동사에서도 「に」를 사용한다.

例　子どもを/に横断歩道を渡らせました。

POINT ポイント1-2 動詞の使役の形

動詞の種類	使役の形
動詞1	行かない＋せる → 行かせる
動詞2	見ない＋させる → 見させる
	食べない＋させる → 食べさせる
動詞3	する → させる
	来る → 来させる

＊使役の形は、動詞2と同じ活用をします。

問題1-1 使役の形を書きなさい。

辞書形	使役の形	辞書形	使役の形
待つ	**待たせる**	読む	
笑う		走る	
書く		調べる	
出す		いる	
立つ		持ってくる	
遊ぶ		散歩する	

問題1-2 （　）の中に「を」か「に」を入れなさい。

1．母は弟（　）病院へ行かせました。

2．トム君はいつもみんな（　）びっくりさせますね。

3．小さい子ども（　）は、安全な道を通らせたほうがいいですよ。

4．先生は学生（　）辞書を持ってこさせました。

5．わたしは犬（　）公園の中を走らせました。

6．母はいつもわたしたち（　）自由に本を選ばせてくれました。

7．わたしはうそを言って父（　）怒らせてしまいました。

8．その仕事、わたし（　）やらせてください。

問題1-3　例のように使役文を作りなさい。

例　警察官「名前を言いなさい」→　男は名前を言いました。
　　→警察官は　**男に名前を言わせました**　　　　　　　　　　　　。

1．先生「いすにすわりなさい。」→　子どもたちはいすにすわりました。
　　先生は_____。

2．店長「8時前に店へ来なさい。」→　店員は8時前に店へ来ます。
　　店長は_____。

3．お母さん「右側を歩きなさい。」→　子どもは右側を歩きます。
　　お母さんは_____。

4．社長「インターネットで調べなさい。」→　社員はインターネットで調べました。
　　社長は_____。

5．先生「何回も練習をしなさい。」→　ワットさんは何回も練習をします。
　　先生は_____。

6．お父さん「好きな本を選んでもいいよ。」→　子どもは好きな本を選びました。
　　お父さんは_____。

7．店長「きょうは3時に帰ってもいいよ。」→　わたしは3時に帰りました。
　　店長は_____てくれました。

8．わたし「おもちゃで遊んでもいいよ。」→　犬はおもちゃで遊びました。
　　わたしは_____。

9．山下さんは大声を出しました。みんなはおどろきました。
　　山下さんは大声を出して、_____。

10．みちこは「別れましょう。」と言いました。たろうは泣きました。
　　みちこは「別れましょう。」と言って、_____。

17課　使役

問題2　どちらか適当な方を選びなさい。

　トムは頭がよくて、いつも元気な少年です。よくけんかもします。きょうも弟とけんかをして弟を①{ a 泣いて　b 泣かせて } しまいました。弟が大声で②{ a 泣くので　b 泣かせるので } トムは弟の頭をたたきました。お母さんは③{ a 怒って　b 怒らせて }、トムに庭の草とりをするように言いました。庭は広いし、草とりの仕事はつまらないです。

　「あ～あ、きょうはいい天気だなあ。みんなと④{ a 遊びたいなあ　b 遊ばせたいなあ }。」でも、お母さんが家の中からトムを見ていて、みんなと⑤{ a 遊びません　b 遊ばせません }。
　そこへベンが来ました。
　「やあ、トム、どうして草とりの仕事を⑥{ a しているの　b させているの }。」
　その時、トムはいいことを考えました。そして、言いました。
　「仕事？これは仕事じゃないよ。とっても楽しいよ。」トムは顔も上げないで、いっしょうけんめい草をとりました。
　「楽しい？じゃ、ちょっとぼくにも⑦{ a やってよ　b やらせてよ }。」
　「だめだ、だめだ。この仕事は君には⑧{ a やらせないよ　b やってあげないよ }。」
　「ちょっとだけ⑨{ a やってみたいなあ　b やらせてみたいなあ }。いいでしょう。」
　「じゃ、ちょっとだけだよ。」
　そこへビリーが来ました。
　「あれ、トム、草とりはいちばんいやな仕事だって前に言っていたのに、きょうは楽しそうだね。」
　「うん、ほんとうに楽しいよ。これは仕事じゃないよ。おもしろい遊びだよ。」
　「じゃ、ぼくにも少し⑩{ a 手伝ってよ　b 手伝わせてよ }。」
　「そうだな、ちょっとだけなら、草を⑪{ a とって　b とらせて } あげるよ。」
　ビリーは喜んで草を⑫{ a とりました　b とらせました }。そこへ、サムやトニーやケンやジローも来ました。
　みんなで草とりをしたので半日で庭がきれいになって、お母さんは⑬{ a びっくりしました　b びっくりさせました }。

18課 受身・使役受身

The passive and causative passive
被动、使役被动
수동 및 사역 수동

TEST スタートテスト

問題Ⅰ （　）の中の動詞を受身形にして、＿＿＿＿の上に書きなさい。

1．会社を出るとき、わたしは課長に＿＿＿＿＿＿ました。（呼ぶ）
2．女の人に図書館までの道を＿＿＿＿＿＿ました。（聞く）
3．急に背中を＿＿＿＿＿＿て、びっくりしました。（押す）
4．家へ帰る途中で雨に＿＿＿＿＿＿て、ぬれてしまいました。（降る）
5．オリンピックは４年に１度＿＿＿＿＿＿ます。（開く）

問題Ⅱ （　）の中の動詞を使役受身の形にして、＿＿＿＿の上に書きなさい。

1．きのうわたしは友だちに１時間も＿＿＿＿＿＿＿＿ました。（待つ）
2．わたしは兄に重い荷物を＿＿＿＿＿＿＿＿ました。（持つ）
3．あの子にはいつも心配＿＿＿＿＿＿＿＿ます。（する）
4．休みの日にも会社に＿＿＿＿＿＿＿＿て、疲れてしまいました。（来る）
5．子どものとき、きらいな食べ物を＿＿＿＿＿＿＿＿たことがありますか。
　　　　　　　　　　　　　　（食べる）

POINT ポイント1　受身の形

A　受身文

先生はわたしをしかりました。

わたしは先生にしかられました。

B　動詞の受身の形

動詞の種類	受身の形
動詞1	押さない＋れる　→　押される
動詞2	見ない＋られる　→　見られる 開けない＋られる　→　開けられる
動詞3	する　→　される 来る　→　来られる

＊受身の形は動詞2と同じ活用をします。

問題1　受身の形を書きなさい。

辞書形	受身の形	辞書形	受身の形
言う	**言われる**	踏む	
行く		切る	
起こす		考える	
立つ		見る	
死ぬ		持っていく	
呼ぶ		相談する	

POINT ポイント2 受身文（うけみぶん）の作（つく）り方（かた）

1. 基本的（きほんてき）な受身文で、話者（わしゃ）「わたし」の立場（たちば）を中心（ちゅうしん）にした言（い）い方

Basic passive sentence with a phrase centered on the speaker's（わたし）position
基本的被动语句，说话者以"我"的立场为中心的表达方法
기본적인 수동문에서, 말하는 사람인 「내」 입장을 중심으로 한 말투

母はわたしを起こしました。
→わたしは母に 起こされました。

先生はわたしにいろいろなことを聞きました。
→わたしは先生に いろいろなことを 聞かれました。

2. 体（からだ）の一部（いちぶ）、所有物（しょゆうぶつ）、関係（かんけい）のあるものがほかからの行為（こうい）を受（う）けたときの受身文

Passive sentence where part of one's body, property or related thing is acted upon
身体的一部分、所有物、相关物承受了某人的动作时的被动语句
신체의 일부, 소유물, 관계가 있는 것이 어떤 사람의 행위를 받았을 때의 수동문

犬はわたしの手をかみました。
→わたしは犬に 手をかまれました。
　×わたしの手は犬にかまれました。

3. 被害（ひがい）を受けたり、迷惑（めいわく）だと感（かん）じたときの受身文

Passive sentence where one suffers damage or feels inconvenience
受害或者感到烦扰时的被动语句
피해를 입거나 번거롭다고 느꼈을 때의 수동문

どろぼうが入って、わたしは困（こま）りました。
→どろぼうに 入られて、わたしは困りました。

隣（となり）の人が7階建（かいだ）てのマンションを建てたので、わたしの家は暗くなりました。
→隣の人に 7階建てのマンションを建てられて、わたしの家は暗くなりました。

4．行為をする人が特定の人ではないとき、または社会的事実などを言うときの受身文

  Passive sentence where the person who acts/acted is not specified, or a social fact is mentioned
  实施行为的人不是特定的人时，或者描述社会上的事实等时的被动语句
  행위를 하는 사람이 특정한 사람이 아닐 때 또는 사회적 사실 등을 말할 때의 수동문

  （人が）300年前にこの寺を建てました。

  →この寺は300年前に建てられました。

問題2 例のように受身文に変えなさい。

例　母はわたしを5時に起こしました。

  →わたしは　**母に5時に起こされました**　。

1．祖母がわたしを育てました。

  →わたしは＿＿＿＿＿＿＿＿＿＿＿＿＿＿＿＿＿＿＿＿＿＿＿。

2．山中さんがわたしをパーティーに誘いました。

  →わたしは＿＿＿＿＿＿＿＿＿＿＿＿＿＿＿＿＿＿＿＿＿＿＿。

3．知らない人がわたしに声をかけました。

  →わたしは＿＿＿＿＿＿＿＿＿＿＿＿＿＿＿＿＿＿＿＿＿＿＿。

4．犬がわたしのくつを持っていきました。

  →わたしは＿＿＿＿＿＿＿＿＿＿＿＿＿＿＿＿＿＿＿＿＿＿＿。

5．電車の中で、隣の人がわたしの足を踏みました。

  →わたしは電車の中で＿＿＿＿＿＿＿＿＿＿＿＿＿＿＿＿＿。

6．先生はわたしの作文をほめました。

  →わたしは＿＿＿＿＿＿＿＿＿＿＿＿＿＿＿＿＿＿＿＿＿＿＿。

7．だれかがわたしの家の前に大きいバイクを止めました。わたしは困りました。

  →わたしの家の前に＿＿＿＿＿＿＿＿＿＿＿＿＿て、困りました。

8．みんながさわぎました。どろぼうは逃げました。

  →＿＿＿＿＿＿＿＿＿＿＿＿＿＿＿＿＿て、どろぼうは逃げました。

9．展覧会をどこで開きますか。

  →展覧会は＿＿＿＿＿＿＿＿＿＿＿＿＿＿＿＿＿＿＿＿＿＿＿。

10．ぶどうからワインを作ります。

  →ワインは＿＿＿＿＿＿＿＿＿＿＿＿＿＿＿＿＿＿＿＿＿＿＿。

POINT ポイント3 「受身文」と「〜てもらう」文

	例文	話者の気持ち
受身	わたしは弟に大切な本を捨てられました。	不快 Uncomfortable 不愉快／불쾌
	わたしはだれかにかさを持っていかれました。	
〜てもらう	わたしは隣の人にうちのごみを捨ててもらいました。	感謝 Grateful 感谢／감사
	わたしは重い荷物を松下さんに持っていってもらいました。	

問題3 話す人の気持ちを考えて、どちらか適当な方を選びなさい。

1．山田「どうしたんですか。元気がありませんね。」
　　田中「きのう、さいふを ｛a とられたんです　b とってもらったんです｝。」

2．ヤンさんは店長に仕事をたくさん ｛a 頼まれて　b 頼んでもらって｝、忙しそうです。

3．わたしはいつも自分でお弁当を作るのですが、きょうは忙しかったので、母に ｛a 作られました　b 作ってもらいました｝。

4．わたしは母にガールフレンドから来た手紙を ｛a 読まれた　b 読んでもらった｝ ようです。

5．わたしたちの昼休みは1時間です。前は40分だったんですが、店長に頼んで長く ｛a されたんです　b してもらったんです｝。

6．ちょっとのことでけんかして、妻に ｛a 出ていかれて　b 出ていってもらって｝ しまいました。

7．デパートでいいセーターを見つけたので、次の日に買いに行ったんですが、だれかに ｛a 買われて　b 買ってもらって｝ もうありませんでした。

8．きのう、夜中に友だちに電話で ｛a 起こされたので　b 起こしてもらったので｝、けさはほんとうに眠いです。

9．あれ、ここにあった大好きなまんががない。だれかに ｛a 捨てられたのかな　b 捨ててもらったのかな｝。

10．テストの点数が悪かったのに、隣のリンさんに ｛a 見られて　b 見てもらって｝ はずかしかった。

POINT ポイント4　使役受身

使役受身文

　自動車学校の先生はわたしに何回も練習させました。

　→わたしは自動車学校の先生に何回も**練習させられました**。

動詞の使役受身の形

動詞の種類	使役受身の形
動詞1	行か~~ない~~＋される　→　行かされる 例外（さ行　例：話す）　×話さされる 　　　　　　　　　　　　○話させられる
動詞2	い~~ない~~＋させられる　→　いさせられる 食べ~~ない~~＋させられる　→　食べさせられる
動詞3	する　→　させられる 来る　→　来させられる

＊使役受身の形は、動詞2と同じ活用をします。

問題4　使役受身の形を書きなさい。

辞書形	使役受身の形	辞書形	使役受身の形
買う	**買わされる**	急ぐ	
行く		着る	
出す		考える	
待つ		覚える	
飲む		心配する	
作る		来る	

POINT ポイント5　使役受身の文

使役受身の文　（うれしくない感情を表します。）

Causative passive sentence（One's feeling of unhappiness is expressed）
使役被动语句（表示不愉快的心情）
사역 수동의 문장(기쁘지 않은 감정을 나타냅니다)

(1) 人から命令や指示を受けて、しかたなく〜するという意味

It means a person acts reluctantly because he/she receives an order or instruction from someone.
表示接受别人的命令或指示而不得不做的意思
다른 사람의 명령이나 지시를 받아 하는 수 없이 〜을 한다는 의미

体育の先生はわたしたちを走らせました。

→わたしたちは体育の先生に走らされました。

(2) 人の行為によって、感情が抑えられないという意味

It means one cannot control one's emotions because of an other person's actions.
表示因为别人的行为而无法抑制感情的意思
다른 사람의 행위로 인해 감정을 억제할 수 없다는 의미

娘はわたしを心配させました。

→わたしは娘に心配させられました。

問題5　例のように使役受身の文を作りなさい。

例　子どものとき、母はよくわたしにお皿を洗わせました。

　　→子どものとき、わたしはよく　**母にお皿を洗わされました**　。

1．父はわたしにアルバイトをやめさせました。

　　→わたしは＿＿＿＿＿＿＿＿＿＿＿＿＿＿＿＿＿＿＿＿＿＿＿。

2．母はわたしに重い荷物を運ばせました。

　　→わたしは＿＿＿＿＿＿＿＿＿＿＿＿＿＿＿＿＿＿＿＿＿＿＿。

3．母はわたしに母の忘れ物をとりに行かせました。

　　→わたしは＿＿＿＿＿＿＿＿＿＿＿＿＿＿＿＿＿＿＿＿＿＿＿。

4．課長はわたしに何度もレポートを直させました。

　　→わたしは＿＿＿＿＿＿＿＿＿＿＿＿＿＿＿＿＿＿＿＿＿＿＿。

5．妹はいつもわたしに食事代を払わせます。
　　→わたしはいつも＿＿＿＿＿＿＿＿＿＿＿＿＿＿＿＿＿＿＿＿＿＿＿。

6．子どものころ、兄はよくわたしを泣かせました。
　　→子どものころ、わたしは＿＿＿＿＿＿＿＿＿＿＿＿＿＿＿＿＿＿＿。

7．木村さんはときどきわたしたちをびっくりさせますね。
　　→わたしたちはときどき＿＿＿＿＿＿＿＿＿＿＿＿＿＿＿＿＿ね。

8．彼はわたしを1時間も待たせました。
　　→わたしは＿＿＿＿＿＿＿＿＿＿＿＿＿＿＿＿＿＿＿＿＿＿＿。

問題6　適当なことばを選びなさい。

わたしは夏休みに運転免許を ①{ a とりました　b とられました　c とらされました }。前から運転免許を ②{ a とりたい　b とられたい　c とらせたい } と思っていたので、夏休みはちょうどいいチャンスでした。

運転の練習は学校の勉強より大変でした。上手にできないと、自動車学校の先生たちは「だめだめ」と言ってもう一度同じことを ③{ a やらせます　b やられます　c やらされます }。安全に運転できるようになるまで、わたしたちは何度も練習を ④{ a される　b させる　c させられる } のです。

特にわたしは下手だったので、何度も同じことを ⑤{ a 注意しました　b 注意されました　c 注意させました }。わたしは小学校から高校まで、⑥{ a しかった　b しかられた　c しからされた } 経験があまりなかったので、先生がとても怖かったです。

交通ルールのテストもありました。わたしたちはいろいろ細かい規則を ⑦{ a 覚えられます　b 覚えさせます　c 覚えさせられます }。わたしはなかなか覚えられなくて困りました。第1回目のテストでは ⑧{ a 失敗しました　b 失敗されました　c 失敗させられました }。第2回目で合格しました。

1か月間、わたしはとてもいい経験を ⑨{ a しました　b させました　c されました }。

19課 敬語

Honorific expressions

敬語
경어

TEST スタートテスト

問題I どちらか適当な方を選びなさい。

1. 先生、あしたは何時の飛行機に {a お乗りになりますか　b お乗りしますか}。
2. 会長がご自宅にお電話を {a おかけになります　b おかけします}。
3. わたしがこの本を先生のお宅に {a お届けになります　b お届けします}。
4. わたしは先生のお荷物を {a お持ちになりました　b お持ちしました}。
5. 田中さんはどんな新聞を {a 読まれますか　b お読みしますか}。

問題II どちらか適当な方を選びなさい。

1. 学生：先生はそのことについて何と {a おっしゃいましたか　b 申しましたか}。
2. 社員：社長は朝、パンとコーヒーを {a 召し上がる　b いただく} そうです。
3. 先生：森さん、今度外国へ行くそうですね。どこへ行くんですか。
   森　：シンガポールに {a いらっしゃいます　b まいります}。
4. 留学生：先生、わたしがこの町を {a ご案内なさいます　b ご案内します}。
5. わたしはきのう、銀座でおじに {a お目にかかりました。　b 会いました}。

POINT ポイント1　尊敬（Respect ／ 尊敬 ／ 존경）

(1) 敬意を表すために、相手のすることを高めて言う。

　　Expression of praising the other party's actions to show respect
　　为了表示敬意而抬高对方行为的表达方法。／ 경의를 나타내기 위해 상대방이 하는 것을 높여서 말한다.

(2) 形の作り方　　　おVますになります　　　書きます　→　お書きになります

問題1-1 （　）の動詞を尊敬の「おVになります」の形にして、＿＿の上に書きなさい。

例　先生は黒板に「静かに」と**お書きになりました**　　　。（書いた）

1．スミス先生はいつも日本語で＿＿＿＿＿＿＿＿＿＿＿＿＿。（話す）
2．ケリー会長はあしたアメリカへ＿＿＿＿＿＿＿＿＿＿＿＿。（帰る）
3．スリーエー社の社長は2時に＿＿＿＿＿＿＿＿＿＿＿＿＿。（着く）
4．会長、このコンピューターを＿＿＿＿＿＿＿＿＿＿＿＿か。（使う）
5．金先生はソウルで＿＿＿＿＿＿＿＿＿＿＿＿＿＿＿。（生まれた）

(3) 特別な形

	あの方が		あの方が
行きます	いらっしゃいます	言います	おっしゃいます
来ます	いらっしゃいます	見ます	ごらんになります
います	いらっしゃいます	寝ます	お休みになります
します	なさいます	知っています	ご存じです
食べます	召し上がります	Vています	Vていらっしゃいます
飲みます	召し上がります	Vてください	おVますください

＊1　いらっしゃいます→いらっしゃる　なさいます→なさる
　　　おっしゃいます→おっしゃる

＊2　「特別な形」がある動詞は「おVになります」の形を使わない。

　　　In the case of verbs that have a special pattern as shown in (3), the expression "おVになります" is not used.
　　　有要点(3)的"特殊形"的动词不使用"おVになります"的形式。
　　　포인트 (3)의「특별한 형태」가 있는 동사는「おVになります」의 형태로 사용하지 않는다

　　　例　　　見る　×お見になります→ごらんになります
　　　例外　　飲む　○お飲みになります　　○召し上がります

— 116 —

問題1-2 （　）の中の動詞を尊敬の特別な形にして、_____の上に書きなさい。

例　秘書：社長、あしたは何時に会社に__いらっしゃいます__か。（来る）

1．社長はよくこの写真を_____。（見る）
2．今、社長は部屋に_____か。（いる）
3．あしたの東京都の会議には校長先生が_____。（行く）
4．部長、きょうはお昼ご飯をどこで_____か。（食べる）
5．教授がそのように_____。（言った）

(4) V（ら）れます

動詞1	書か~ない~+れる → 書かれる
動詞2	見~ない~+られる → 見られる
動詞3	する → される
	来る → 来られる

＊「おVになります」や「特別な形」より尊敬の度合いが低い。

The degree of respect is lower compared with "おVになります" and the special patterns for this expression.
与"おVになります"、"特殊形"相比，尊敬的程度较低。
「おVになります」이나「특별한 형태」보다 존경의 정도가 낮다.

問題1-3 （　）の動詞を「れる・られる」の形にして、_____の上に書きなさい。

例　先輩、もうレポートは__書かれました__か。（書いた）

1．先輩、コーヒーを_____か。（飲む）
2．課長、これはけさの新聞です。_____か。（読む）
3．社長は、毎日7時から_____そうです。（散歩する）
4．課長、新しいコンピューターを_____んですか。（買う）
5．先生はもう_____。（帰った）
6．先生はあした何時に学校へ_____か。（来る）
7．あなたのお父さんはこの問題について何と_____か。（言った）
8．先輩、今度の大会に_____か。（出る）
9．この映画、もう見に_____か。（行った）
10．店長、お疲れのようですね。少し_____ほうがいいですよ。（休んだ）

19課　敬語

| POINT | ポイント2　謙譲（Modesty／谦让／겸양）|

敬意を表す人に対して、わたしかわたし側の人のすることを低めることによって、相手に対する敬意を表します。

Way of expressing respect to a person by lowering the act done by oneself or someone from one's own group
对要表示敬意的人，通过降低我或者我方人员行为来向对方表达敬意。
경의를 표시할 사람에 대하여 나 혹은 내쪽의 사람이 하는 것을 낮춤으로서 상대방에게 대한 경의를 나타냅니다.

　　形の作り方　　　お／ご ＋ Vます します／いたします

　　　　　　　持ちます　→お持ちします／お持ちいたします

　　　　　　　案内します→ご案内します／ご案内いたします

(1) 敬意を表す相手のいる行為に使う。

To be used for actions connected with people to whom you should show respect
用于有需要表示敬意的对方存在时自己所做的行为。
경의를 표시할 상대방이 있는 행위에 사용한다.

　　　　　　合格したことを先生にお知らせしました。

(2) 敬意を表す相手のいない行為には使わないように注意。

Be careful not to use this form in sentences unconnected with people to whom you should show respect.
注意在没有要表示敬意的人存在时不要使用。
경의를 표시할 사람이 없는 행위에는 사용하지 않도록 주의.

　　　　　　×夜はいつも本をお読みします。（自分一人で読む）

　　　　　　→夜はいつも本を読みます。

| 問題2-1 | （　）の動詞を謙譲の「お／ごVします」の形にして、_____の上に書きなさい。

例　きのう、先生にこの本を　**お送りしました**　　　。（送った）

1．そのことはわたしから田中先生に_____。（話す）

2．あした、この本をスミス先生に_____。（返す）

3．わたしはここで社長を_____。（待つ）

4．きのう、この写真を先生にも_____。（見せた）

5．先生、旅行のスケジュールは、後でわたしが_____。（知らせる）

6．わたしの結婚式に田中先生を_____。（招待する）

(3) 特別な形

	わたしが			わたしが
行きます	まいります	言います	申します
来ます	まいります	見ます	（先生の絵を）拝見します
います	おります	聞きます	（先生に）うかがいます
します	いたします	訪問します	（お宅に）うかがいます
食べます	いただきます	会います	お目にかかります
飲みます	いただきます	もらいます	いただきます

問題2-2 （　）の中の動詞を謙譲の特別な形にして、＿＿＿の上に書きなさい。

例　わたしはあした10時に先生のお宅へ　**まいります**　　　。（行く）

1．先生がお作りになった料理を　　　　　　　　　　。（食べる）

2．わたしは先生がお帰りになるまで、ずっとここに　　　　　　　　　　。（いる）

3．社員：わかりました。その仕事はわたしが　　　　　　　　　　。（する）

4．展覧会で先生がおとりになった写真を　　　　　　　　　　。（見た）

5．きのう、社長のお宅に　　　　　　　　　　。（訪問した）

19課
敬語

POINT ポイント3　聞き手に対して、ていねいな気持ちを表す特別なことば
(Special phrase to express courtesy to a person or listener
对听者表示礼貌心情的特别词语 ／ 듣는 사람에 대하여 정중한 기분을 나타내는 특별한 말)

Nです。　→　Nでございます。　　Nがあります。　→　Nがございます。

店、駅などのお客を相手にする場所や、サービスの場面でよく使う。

Phrase frequently used when dealing with customers, such as at stores, stations, etc., or where a service is provided
常用于商店、车站等以顾客为对象的场所、服务领域。
가게, 역 등 손님을 상대로 하는 장소나 서비스 현장에서 흔히 사용한다.

　　＜店で＞パンの売り場はこちらでございます。

　　ワインはフランスのとイタリアのがございます。

POINT ポイント4　使い方のルール

敬意を表す人（目上の人）に言わないこと。

Phrase that should not be used when paying respect to a person （higher ranking or older person）
不能用于应表示敬意的人（地位高的人）。
경의를 표시할 사람(윗사람)에게는 사용하지 않을 것.

×相手の欲求を聞く When asking what the other party wants 询问对方的欲望 상대방의 욕구를 듣는다	×コーヒーが飲みたいですか。→コーヒーでもいかがですか。 ×何か召し上がりたいですか。→何か召し上がりますか。
×相手の能力を聞く When asking the other party's capability 询问对方的能力 상대방의 능력을 듣는다	×運転できますか。　　　　　→運転なさいますか。 目上の相手に対して、相手ができなければ恥ずかしいと思うことについては、「できますか」という形では聞かないほうがよい。 When asking a higher ranking or older person if he/she can do something, the speaker should not make a question using "できますか" in order to avoid embarrassing the higher ranking or older person. 对地位高的人最好不要使用"できますか"的形式,否则对方做不到时会感到很尴尬。 상대방인 윗사람에 대하여, 상대를 할 수 없으면 부끄럽다고 생각하는 것에 대해서는 「できますか」라는 형태로는 묻지 않는 것이 좋다.
×恩恵の押し付け Imposition of benefit 强施恩惠 고마움의 강요	×荷物を持ってあげます。　　→荷物をお持ちしましょう。

問題4 どちらか適当な方を選びなさい。

1. ＜急に雨が降ってきたときに＞
   このかさ、貸していただけませんか。あした ｛a 返してあげます　b お返しします｝。
2. 学生：先生、その本、重そうですね。わたしが ｛a 持ってあげます　b お持ちします｝。
3. 秘書：社長、新聞を ｛a お読みになりたいですか　b お読みになりますか｝。
4. 学生：先生、忙しそうですね。｛a 手伝ってほしいですか　b お手伝いしましょうか｝。
5. ＜社員が部長にお茶を持ってきて＞
   社員：部長、｛a お茶でもいかがですか　b お茶が飲みたいですか｝。
6. 学生：先生、｛a スキーができますか　b スキーをなさいますか｝。

問題5 ①～④の敬語をふつうの形にして、＿＿＿＿の上に書きなさい。

＜ホテルのフロントで＞
受付：いらっしゃいませ。
小林：部屋を予約しておいた小林ですが……。
受付：小林さまでいらっしゃいますか。①お待ちしておりました。
　　　こちらにお名前とご住所を②お書きください。
小林：これでいいですか。
受付：はい、ありがとうございます。お部屋は③605でございます。
　　　こちらの者が④ご案内いたします。

① ＿＿＿＿＿＿＿＿＿＿＿＿　② ＿＿＿＿＿＿＿＿＿＿＿＿
③ 605＿＿＿＿＿＿＿＿＿＿　④ ＿＿＿＿＿＿＿＿＿＿＿＿

19課　敬語

問題6　（　　）のことばを敬語にして、_____の上に書きなさい。

1. ＜事務所の受付で＞

　　田中課長：すみません。だれかわたしのところに来ませんでしたか。

　　受付　　：はい、さきほど、山田さまという方が①_____。
　　　　　　　　　　　　　　　　　　　　　　　　　　　　（来ました）

　　　　　　あちらの部屋で②_____。（待っています）

2. ＜社長にインタビューをする＞

　　記者：では、社長よろしくお願いいたします。

　　　　　社長は子どものころはどちらに③_____か。（いました）

　　社長：九州の鹿児島で生まれて、鹿児島で育ちました。

　　記者：暖かいところですね。18歳の時に東京へ④_____（来た）

　　　　　そうですが、東京ではお一人でしたか。

　　社長：いいえ。兄といっしょでした。

　　記者：そうですか。そのころは社長もご自分で料理を⑤_____

　　　　　か。　　　　　　　　　　　　　　　　　　　　　（しました）

　　社長：ええ、しましたよ。

　　記者：では、社長のご趣味について⑥_____（聞いても）よろ

　　　　　しいでしょうか。

■コラム　　　　　　　　　　　　　　　　　　　　Column

「まいります」「おります」

聞き手に対してていねいな気持ちを表すために、（自分以外のことにも）「まいります」や「おります」を使うことがあります。

＜駅のアナウンス＞4番線にまもなく電車がまいります。

＜手紙＞暑くなってまいりましたね。

　　　　毎日暑い日が続いておりますが、お元気でしょうか。

■ コラム

大切な副詞②　次の副詞は使える文に制限があります。　制限　restriction ／ 限制 ／ 제한

1. 確信・推量を表す文といっしょに使うもの　確信・推量　certainty and conjecture
　确信・推断 ／ 확신・추측

　　たしか　　　　　たろう君はたしか今年二十歳です。
　　きっと　　　　　彼女はきっと来ると思います。
　　たぶん　　　　　あしたはたぶん雨でしょう。
　　もしかしたら　　もしかしたらいい知らせがあるかもしれません。
　　（もしかすると）

2. 仮定を表す文といっしょに使うもの　仮定　condition ／ 假定 ／ 가정
　　もし　　　　　　もし100万円あったら、どうしますか。
　　どんなに　　　　どんなに安くても、要らないものは買いません。

3. 継続を表す文といっしょに使うもの　継続　continuation ／ 继续 ／ 계속
　　しばらく　　　　ここでしばらく待っています。
　　ずっと　　　　　夕方までずっとサッカーの練習を続けます。

4. 希望や意志を表す文といっしょに使うもの　希望や意志　expectations and volition
　希望・意志 ／ 희망 또는 의지

　　ぜひ　　　　　　来年はぜひ富士山に登ってみたいです。

20課 文のスタイル

Style of sentence

语句的风格
문장의 스타일

TEST スタートテスト

問題 どちらか適当な方を選びなさい。

1. ＜会社に電話をして＞
    会社員：部長、妻がけさ ｛a 入院しましたので　b 入院しちゃったんで｝、午前中休ませていただけませんか。

2. ＜スピーチで＞
    わたしは去年、3月末に日本に ｛a 来たんだけど　b 来ましたが｝、ちょうどそのころは桜が咲いていました。

3. ＜教授に＞
    大学院生：論文は5日までに ｛a 出さなければいけないでしょうか。　b 出さなきゃいけない？｝

4. 部長：田中さん、あした、この資料の計算、手伝ってください。
    田中：｛a はい　b うん｝、お手伝いします。

5. 弟：兄ちゃん、｛a こちら　b こっち｝におもしろい動物がいるよ。
    兄：ほんと！今、行くよ。

6. ＜事務所で＞
    事務員：先生、きょうは ｛a どちら　b どっち｝で講演なさいますか。

7. ＜会社で電話を受けて＞
    はい、｛a お待たせしました　b お待たせしちゃいました｝。小林です。

8. ＜学校で、友だちに＞
    ごめん、千円貸して。さいふ ｛a 忘れちゃったんだ　b 忘れてしまったのです｝。

9. ＜学校で、先生に＞
    すみません。この辞書、貸してください。あした ｛a お返しします　b 返すよ｝。

10. ＜先生に＞
    学生：作文を直してくださって、ありがとうございました。おかげさまで、いい作文に ｛a なったわ　b なりました｝。

POINT ポイント1　日本語の2つのスタイル
(Two styles of Japanese sentences ／日语的两大风格／일본어의 2가지 스타일)

（1）ていねい体　Polite style ／礼貌体／정중체

① a．仕事の場などで上の人に話すとき。

　　田中：課長、あしたの会議は2時からですか。

　　課長：ああ、そうですね。

　b．初めて会った人やよく知らない人と話すとき。

　　＜受付の人に＞　学生：申込書の書き方はこれでいいでしょうか。

②改まった場で話すとき、放送など。When speaking on formal occasions such as broadcasting, etc.
　　　　　　　　　　　　　　　郑重场合使用,如广播等。／격식을 갖춘 장면에서 이야기할 때, 방송 등.

　　＜テレビ＞　アナウンサー：大阪のあしたの天気は晴れでしょう。

③手紙ではていねい体が多く使われます。

　　＜手紙＞　暖かくなりました。その後、お元気ですか。

　　例外　親しい人*への手紙は、ふつう体で書かれることもあります。

　　　　　*親しい人　Close friend or acquaintance ／亲密的人／친한 사람

（2）ふつう体

①友だち、家族と話すとき。

　　きょう駅でカンさんに会ったよ。

②日記の文、メモなど。

　　3月20日（日曜日）くもり　田中さんと横浜へ行った。

③新聞

　　1日9時ごろ、山手線の原宿駅で事故があり、電車が10分遅れた。

④レポート、論説文*など。*論説文　Editorial ／论说文／논설문

　　多くの親は、子どもに考えることより覚えることをすすめる。

*上の人と下の人が話す場合、上の人と下の人のスタイルが違うことがあります。

　　先生：あした何時ごろ来る？（ふつう体）

　　学生：あしたは9時に来ます。（ていねい体）

問題1　どちらか適当な方に○をつけなさい。

1．＜テレビのニュース＞

　　（　）a きょう、広島で五つ子が生まれました。

　　（　）b きょう、広島で五つ子が生まれた。

2．＜新聞記事＞

　　（　）a 大学入試センター試験が17日午前、全国の712試験会場で始まりました。

　　（　）b 大学入試センター試験が17日午前、全国の712試験会場で始まった。

3．＜学校の食堂で友だちと＞

　　（　）a A：何を召し上がりますか。

　　　　　　B：わたし、ラーメンをいただきます。

　　（　）b A：何、食べようか。

　　　　　　B：わたし、ラーメン。

4．＜会社の食堂で＞

　　（　）a 社員：何になさいますか。

　　　　　　部長：ぼくはラーメンがいいな。

　　（　）b 社員：何にする？

　　　　　　部長：ぼくはラーメンがいいな。

5．＜料理の作り方をテレビを見ながらメモする＞

　　（　）a

　　　　　┌──────────────────────┐
　　　　　│・牛肉とタマネギをいためます。　　　　│
　　　　　│・いためたら、スープで10分ぐらい煮ます。│
　　　　　│　　　　　　　　：　　　　　　　　　　│
　　　　　└──────────────────────┘

　　（　）b

　　　　　┌──────────────────────┐
　　　　　│・牛肉とタマネギをいためる。　　　　　│
　　　　　│・いためたら、スープで煮る。10分ぐらい。│
　　　　　│　　　　　　　　：　　　　　　　　　　│
　　　　　└──────────────────────┘

POINT ポイント2　親しい人と話すときの気楽な話し方の特徴
(Characteristics of casual manner of speaking when talking with someone close／与亲密的人轻松交谈时的表达特征／친한 사람과 이야기할 때가 편안한 말투의 특징)

(1) 縮約形　Abbreviated pattern／简练形／축약형

親しい人と話すとき、縮約形という短い形をよく使います。

	縮約形		縮約形
食べてしまう	食べちゃう	本ではない	本じゃない
飲んでしまう	飲んじゃう	食べたのだ	食べたんだ
食べている	食べてる	食べなければ	食べなきゃ
食べていた	食べてた	食べたと言った	食べたって言った
書いておく	書いとく	食べてはだめ	食べちゃだめ

(2) ことば

ことばも、文のスタイルに合わせて、合ったものを使います。

Phrases that fit the style of the sentence should be used.
要根据语句的风格，使用适当的词语。
단어 역시 문장 스타일에 맞춰서 알맞은 것을 사용합니다.

改まったことば	気楽な話しことば
しかし　だが	だけど　けど
（行った）が／けれども	（行った）けど
けれども	でも
たいへん　非常に	すごく　とっても
あまり	あんまり
こちら　そちら　あちら　どちら	こっち　そっち　あっち　どっち
それは～からです	だって～もん

（3）助詞や文末のことばの省略　Omission of particle or phrase at the end of sentence
　　　　　　　　　　　　　　助词、句尾词语的省略／조사나 문장의 끝말을 생략

「は・が・を・か」などの助詞や「～ください。～ですか。」などの文末がよく省略されます。

Particles such as "は", "が", "を", and "か" and phrases such as "～ください。" or "～ですか。" are often omitted.
常省略"は、が、を、か"等助词，"～ください。～ですか。"等句尾词语。
「は・が・を・か」등의 조사나 「～ください.～ですか.」 등 문장의 끝말은 자주 생략됩니다.

　例　このことばの意味を教えてください。　→　このことばの意味、教えて。
　　　あれは何ですか。　　　　　　　　　→　あれ、何？
　　　どこへ行くのですか。　　　　　　　→　どこ、行くの？
　　　車の運転ができますか。　　　　　　→　車の運転、できる？

問題2-1　次の_____の言い方を例のような言い方にして、_____の上に書きなさい。

　例　約束の時間に遅れちゃった。　　　　　→　遅れてしまった　　　　　　。
1．買ったばかりのペンをなくしちゃった。　→　なくし　　　　　　　　　　。
2．この本は一日で全部読んじゃった。　　　→　読　　　　　　　　　　　　。
3．赤ちゃんはよく寝てるね。　　　　　　　→　寝　　　　　　　　　　　　。
4．きょう、友子は赤いスカートをはいてる。→　はい　　　　　　　　　　　。
5．日曜日は一日中テレビを見てた。　　　　→　見　　　　　　　　　　　　。
6．すぐ行くから、ちょっと待っててください。→　待　　　　　　　　ください。
7．そこにすわっちゃだめ。　　　　　　　　→　すわ　　　　　　　　　だめ。
8．木村さんはきのう来たんだ。　　　　　　→　来た　　　　　　　　　　　。
9．日本語で「こんにちは」って言った。　　→　　　　　　　　　　　　言った。
10．ちゃんと食べなきゃだめよ。　　　　　 →　食べ　　　　　　　　　だめよ。

問題2-2　どちらか適当な方を選びなさい。

1．＜報告書＞
　　長生きする人が増えている。{ a しかし　　b だけど }、元気に年をとることは難しい。
2．＜大学のレポート＞
　　親といっしょに生活しているときはわからない { a が　　b けど }、一人で生活してみるとわかることがある。

3．＜作文で＞

日本に来てから料理が ｛aすっごく　bとても｝ 上手になりました。

4．＜面接試験で＞

面接の先生：この大学を受けた理由は何ですか。

受験生　　：｛aそれは　bだって｝この大学で先輩が勉強しているからです。

5．＜うちで＞

父　　　：部屋をかたづけなさい。

子ども：わかってる。｛aしかし　bでも｝、今やりたくないよ。

問題3　次の文の＿＿＿のところを、例のようにふつう体にして、＿＿＿の上に書きなさい。

4月は新しいスタートの（例）時です。
小学校から大学まで、学校では多くの新入生を①迎えます。
いちばんうれしいのは小学校の②新1年生でしょう。
国立大学は、2004年4月1日に新しく③生まれかわりました。
会社でも4月1日に新入社員を迎えて入社式が④行われました。
ある会社では、中国人の新入社員が「新入社員のことば」を⑤読みました。
会社が新しく生まれ変わったところも⑥あります。
2つの大きい航空会社が1つになり、新しく⑦スタートしました。
東京の地下鉄は新しい会社になり、会社の名前が⑧変わりました。
3月31日の夜、最後の電車が終わってから、4月1日の朝までに、駅にある会社の名前を全部とりかえたのだ⑨そうです。
4月1日の朝、多くの新人たちの希望をのせて、新しい会社の電車が⑩出発しました。

（例）　**時だ**　　　　　　　　　。

①＿＿＿＿＿＿＿＿＿＿＿。　②＿＿＿＿＿＿＿＿＿＿＿。
③＿＿＿＿＿＿＿＿＿＿＿。　④＿＿＿＿＿＿＿＿＿＿＿。
⑤＿＿＿＿＿＿＿＿＿＿＿。　⑥＿＿＿＿＿＿＿＿＿＿＿。
⑦＿＿＿＿＿＿＿＿＿＿＿。　⑧＿＿＿＿＿＿＿＿＿＿＿。
⑨＿＿＿＿＿＿＿＿＿＿＿。　⑩＿＿＿＿＿＿＿＿＿＿＿。

著者
友松悦子（ともまつ　えつこ）
　『新装版 どんなときどう使う日本語表現文型辞典』（アルク 共著）
　『改訂版 どんなときどう使う日本語表現文型500』（アルク 共著）
　『改訂版 どんなときどう使う日本語表現文型200』（アルク 共著）
　『中級日本語文法要点整理ポイント20』（スリーエーネットワーク 共著）
　『小論文への12のステップ』（スリーエーネットワーク）
　『新完全マスター文法 日本語能力試験N1』『同 N2』『同 N3』『同 N4』（スリーエーネットワーク 共著）
　『新完全マスター聴解 日本語能力試験N1』『同 N2』『同 N3』『同 N4』（スリーエーネットワーク 共著）など

和栗雅子（わくり　まさこ）
　『新装版 どんなときどう使う日本語表現文型辞典』（アルク 共著）
　『改訂版 どんなときどう使う日本語表現文型500』（アルク 共著）
　『改訂版 どんなときどう使う日本語表現文型200』（アルク 共著）
　『中級日本語文法要点整理ポイント20』（スリーエーネットワーク 共著）
　『実力日本語・練習帳上・下』（東京外国語大学留学生教育センター編著 共著）
　『日本語の教え方ＡＢＣ』（アルク 共著）
　『新訂版 読むトレーニング 基礎編 日本留学試験対応』『同 応用編』（スリーエーネットワーク 共著）など

装幀・本文デザイン
　山田武

イラストレーション
　向井直子

短期集中　初級日本語文法総まとめ　ポイント20

2004年11月19日初版第1刷発行
2024年10月17日第 22 刷 発 行

著　者　　友松悦子　和栗雅子
発行者　　藤嵜政子
発　行　　株式会社　スリーエーネットワーク
　　　　　〒102-0083　東京都千代田区麹町3丁目4番
　　　　　　　　　　　トラスティ麹町ビル2F
　　　　　電話　営業　03（5275）2722
　　　　　　　　編集　03（5275）2725
　　　　　https://www.3anet.co.jp/
印　刷　　壮光舎印刷株式会社

ISBN978-4-88319-328-8 C0081
落丁・乱丁本はお取替えいたします。
本書の全部または一部を無断で複写複製（コピー）することは著作権法上での例外を除き、禁じられています。

■ 新完全マスターシリーズ

● 新完全マスター漢字
日本語能力試験N1
　1,320円(税込)(ISBN978-4-88319-546-6)
日本語能力試験N2 (CD付)
　1,540円(税込)(ISBN978-4-88319-547-3)
日本語能力試験N3
　1,320円(税込)(ISBN978-4-88319-688-3)
日本語能力試験N3 ベトナム語版
　1,320円(税込)(ISBN978-4-88319-711-8)
日本語能力試験N4
　1,320円(税込)(ISBN978-4-88319-780-4)

● 新完全マスター語彙
日本語能力試験N1
　1,320円(税込)(ISBN978-4-88319-573-2)
日本語能力試験N2
　1,320円(税込)(ISBN978-4-88319-574-9)
日本語能力試験N3
　1,320円(税込)(ISBN978-4-88319-743-9)
日本語能力試験N3 ベトナム語版
　1,320円(税込)(ISBN978-4-88319-765-1)
日本語能力試験N4
　1,320円(税込)(ISBN978-4-88319-848-1)

● 新完全マスター読解
日本語能力試験N1
　1,540円(税込)(ISBN978-4-88319-571-8)
日本語能力試験N2
　1,540円(税込)(ISBN978-4-88319-572-5)
日本語能力試験N3
　1,540円(税込)(ISBN978-4-88319-671-5)
日本語能力試験N3 ベトナム語版
　1,540円(税込)(ISBN978-4-88319-722-4)
日本語能力試験N4
　1,320円(税込)(ISBN978-4-88319-764-4)

● 新完全マスター単語
日本語能力試験N1 重要2200語
　1,760円(税込)(ISBN978-4-88319-805-4)
日本語能力試験N2 重要2200語
　1,760円(税込)(ISBN978-4-88319-762-0)

改訂版　日本語能力試験N3 重要1800語
　1,760円(税込)(ISBN978-4-88319-887-0)
日本語能力試験N4 重要1000語
　1,760円(税込)(ISBN978-4-88319-905-1)

● 新完全マスター文法
日本語能力試験N1
　1,320円(税込)(ISBN978-4-88319-564-0)
日本語能力試験N2
　1,320円(税込)(ISBN978-4-88319-565-7)
日本語能力試験N3
　1,320円(税込)(ISBN978-4-88319-610-4)
日本語能力試験N3 ベトナム語版
　1,320円(税込)(ISBN978-4-88319-717-0)
日本語能力試験N4
　1,320円(税込)(ISBN978-4-88319-694-4)
日本語能力試験N4 ベトナム語版
　1,320円(税込)(ISBN978-4-88319-725-5)

● 新完全マスター聴解
日本語能力試験N1 (CD付)
　1,760円(税込)(ISBN978-4-88319-566-4)
日本語能力試験N2 (CD付)
　1,760円(税込)(ISBN978-4-88319-567-1)
日本語能力試験N3 (CD付)
　1,650円(税込)(ISBN978-4-88319-609-8)
日本語能力試験N3 ベトナム語版 (CD付)
　1,650円(税込)(ISBN978-4-88319-710-1)
日本語能力試験N4 (CD付)
　1,650円(税込)(ISBN978-4-88319-763-7)

■ 読解攻略！
日本語能力試験 N1レベル
　1,540円(税込)(ISBN978-4-88319-706-4)

■ 日本語能力試験模擬テスト
CD付　各冊990円(税込)
改訂版はWEBから音声

● 日本語能力試験N1 模擬テスト
〈1〉(ISBN978-4-88319-556-5)
〈2〉(ISBN978-4-88319-575-6)
〈3〉(ISBN978-4-88319-631-9)
〈4〉(ISBN978-4-88319-652-4)

● 日本語能力試験N2 模擬テスト
〈1〉(ISBN978-4-88319-557-2)
〈2〉改訂版
　(ISBN978-4-88319-950-1)
〈3〉(ISBN978-4-88319-632-6)
〈4〉(ISBN978-4-88319-653-1)

● 日本語能力試験N3 模擬テスト
〈1〉(ISBN978-4-88319-841-2)
〈2〉(ISBN978-4-88319-843-6)

● 日本語能力試験N4 模擬テスト
〈1〉(ISBN978-4-88319-885-6)
〈2〉(ISBN978-4-88319-886-3)

スリーエーネットワーク
ウェブサイトで新刊や日本語セミナーをご案内しております。
https://www.3anet.co.jp/

短期集中
初級日本語文法総まとめ
ポイント20

解答

スリーエーネットワーク

1課　助詞

スタートテスト
問題

1．で　　2．を　　3．に　　4．と　　5．に／から　　6．に
7．で　　8．に　　9．を　　10．で

問題 1

1．に　で　で　　2．に　で　で　　3．に　に　で　　4．で　に　に

問題 2

1．を　を　に　で　　2．に　を　で　　3．に　で　を　を
4．に　を　で　　　　5．に　で　を

問題 3

1．と／に　に／から　　2．と　　3．に　　4．A：に　B：に
5．に　　6．に　　7．に　　8．から　9．に　　10．から　　11．に

問題 4

1．で　　2．で　　3．で　　4．で　に　5．に　　6．に
7．で　　8．に　　9．に　　10．に　　11．で　　12．から

問題 5

1．までに　2．に　　3．×　　4．に　　5．×
6．まで　　7．で　　8．から　まで　9．までに　10．から

問題 6

①で　②と　③×　④に　⑤で　⑥で　⑦に　⑧を　⑨に　⑩で　⑪に　⑫で
⑬で　⑭に／までに　⑮を　⑯に

2課　「は」と「が」

スタートテスト

問題
1. は　　2. は　　3. が　　4. が　は
5. が　　6. は　は　7. は　が　8. が　　9. が

問題1
1. は　は　　2. が　は　　3. が　が　　4. が　は
5. が　が　　6. が　が

問題2
1. が　　2. は　は　　3. は　　4. A：が　が　B：は　が　は
5. は　は　　6. は

問題3
1. は　が　　2. が　　3. が　　4. が　　5. は
6. は　が　　7. が　　8. A：は　が　B：が　は

問題4
1. は　が　　　　　2. が　は　　　　3. A：が　は　B：は
4. が　が　　　　　5. が　は　　　　6. 川田：が　山中：は　は
7. が　は　　　　　8. が　は　　　　9. は　が
10. が　が　　　　11. が　は　　　　12. A：は　B：は
13. A：が　が　B：は　14. は　は　　　15. が　は

問題5
①が　②は　③は　④が　⑤が　⑥は　⑦は　⑧は　⑨が　⑩が　⑪は　⑫が　⑬は　⑭は

3課　活用1

スタートテスト

問題Ⅰ

1．暑かったです　　　　2．静かでは（じゃ）ありません
3．帰りました　　　　　4．休みでは（じゃ）ありません
5．食べませんでした

問題Ⅱ

1．父は60歳で、母は58歳です
2．わたしの部屋はせまくて汚いです
3．ヤンさんはハンサムで明るい人です
4．あしたはいい天気で暖かいでしょう
5．10年前わたしは学生で、京都に住んでいました

問題1

1．7日です
2．大川：忙しかったです
　　田中：忙しくなかったです／忙しくありませんでした
3．A：天気でした　B：天気では（じゃ）ありませんでした
4．静かでした　静かでは（じゃ）ありません
5．かわいいです
6．A：行きます　B：行きません
7．A：来ました　B：来ませんでした
8．A：います　B：いません
9．起きました　起きません　起きます
10．A：見ました　B：見ませんでした

問題2

1．親切に　　　　2．おいしく　　　3．おいしそうな　　4．小さい
5．大きく　大きい　6．遅(おそ)く　　　7．きれいに　　　　8．寒い
9．難(むずか)しい　　　　10．ほしい

問題3

1．元気で　　　　2．じょうぶで　　　3．松本(まつもと)では（じゃ）なくて
4．好きで　　　　5．大きくて　　　　6．きれいで　よくて
7．短くて　　　　8．複雑(ふくざつ)では（じゃ）なくて

問題4

①日で　　　　　②忙(いそが)しかったです　③ひまでした　　④行きました
⑤寒かったです　⑥読みました　　　　⑦散歩(さんぽ)しました　⑧好きで
⑨散歩します　　⑩広くて　　　　　　⑪静(しず)かな　　　　⑫しました
⑬汚(きたな)かったです　⑭ていねいに　　　　⑮きれいに　　　⑯きれいな
⑰見ました　　　⑱しました

4課　活用2　動詞の3分類と「て形」・「た形」

スタートテスト

問題Ⅰ

1．始まって　2．会って　3．かぶって　4．作って　5．ひいて

問題Ⅱ

1．消(け)して　2．はいて　3．生まれた　4．読んで　5．つけた

問題1

動詞1	待つ 切る 作る 泳ぐ 会う 呼ぶ 話す 休む
動詞2	借りる いる 降りる
	開ける 閉める 覚える 考える 答える
動詞3	来る そうじする

問題2

辞書形	て形	た形
行く	行って	行った
泣く	泣いて	泣いた
話す	話して	話した
待つ	待って	待った
遊ぶ	遊んで	遊んだ
読む	読んで	読んだ
いる	いて	いた
食べる	食べて	食べた
来る	来て	来た
する	して	した

問題3

1. 冷やして
2. はって
3. 行った
4. 開けた
5. 食べて
6. 食べた
7. 育てて
8. 終わった
9. 歌った おどった
10. 寝た
11. 吸って
12. 減って
13. 行った 来た
14. 落ちて
15. して
16. 休んだ
17. 行って
18. 置いて
19. 出かけた
20. ひいて

5課　動詞の活用と文型

スタートテスト
問題

1．食べ　　2．食べ　　3．食べ　　4．食べる　　5．食べる
6．食べる　7．食べない　8．食べない　9．食べる　10．食べる

問題1

～ない	買わない	行かない	寝ない	いない	しない
～ます	買います	行きます	寝ます	います	します
辞書形	買う	行く	寝る	いる	する

～ない	遊ばない	ない	入れない	着ない	来ない
～ます	遊びます	あります	入れます	着ます	来ます
辞書形	遊ぶ	ある	入れる	着る	来る

問題2

1．会い　　2．とれ　　3．出かける　　4．聞き　　5．始める
6．終わる　7．入る　　8．切る　　　9．買い　　10．泳ぐ
11．見える　12．乗り　13．し　　　　14．捨てる　15．買い
16．歩き　　17．入り

問題3

1．転ばない　2．出す　3．聞こえる　4．飲む　　5．吸わない
6．引っ越す　7．住む　8．出さない　9．買わない　10．しない

6課　ふつう形

スタートテスト

| 問　題 |

1．行く　　　2．来ない　　　3．約束した　　　4．いなかった
5．難しい　　6．よくない　　7．暑かった　　　8．雨だ
9．上手だった　10．A：買った　B：借りた

| 問題1 |

ていねい形	ふつう形	ていねい形	ふつう形
見ます	見る	楽しいです	楽しい
しません	しない	おいしくなかったです	おいしくなかった
来ました	来た	きれいでした	きれいだった
いませんでした	いなかった	ひまじゃありませんでした	ひまじゃなかった
できました	できた	学生でした	学生だった

| 問題2 |

1．マリさんはやさしい人だ
2．先週引っ越しした
3．敬語は簡単では（じゃ）ない
4．入院しなくてもいい
5．けさ中央線で事故があった
6．中田さんの弟さんは有名な歌手だった
7．わたしの母に会いたい
8．みんなの力で戦争をやめさせなければならない

問題3
1. 作った　　2. 洗う　　3. 立っている　　4. 住んでいる
5. 行った　　6. ほしかった　7. 読む　　　　8. できない
9. 言った　　10. 来なかった

問題4
1. 乗るんです　　　　　　2. おもしろいんです
3. A：きらいなんです　B：食べたいんです
4. A：あるんです　B：忙(いそが)しいんです
5. A：約束(やくそく)したんです　B：言ったんです

問題5
1. ①来(く)る　②来(こ)ない　③ひいた　④寒かった　⑤していた　⑥いる　⑦連絡(れんらく)する
2. ①お元気な　②いただいた　③多かった　④あった　⑤している　⑥なかった
　⑦なる　⑧会える

7課　こ・そ・あ　自分と相手との関係

スタートテスト

問題Ⅰ
①あの旗(はた)までもう少しですよ　　②疲(つか)れたからわたしはここで休みます
③このぼうしはだれのですか　　　　　④それはわたしのです
⑤あそこまで走っていこう　　　　　　⑥え！あそこまで？

問題Ⅱ
1. 妹：そこ　兄：ここ　　　2. 父：この　娘：その
3. B：あの　A：あんなに　　4. A：この　B：これ
5. その／この

問題1

1．A：この　B：ここ　　2．A：この　B：これ
3．A：あそこ　B：あの　4．A：ここ　B：そこ
5．A：この　B：それ　　6．A：この　B：その
7．あちら　あれ　　　　8．A：こんな　B：そんな

問題2

1．A：あれ　B：あの　　2．A：その　B：その（この）
3．そこ　その　あれ

問題3

1．①ここ　②この　③あの　④ここ　⑤その　⑥あの　⑦ここ　⑧この
2．①これ　②こんなに　③この　④その　⑤これ　⑥こちら　⑦あちら　⑧その

8課　申し出・勧誘　自分の行為の申し出か、相手への働きかけか

スタートテスト

問題Ⅰ

1．a　2．b　3．b　4．a　5．b

問題Ⅱ

1．食べません　2．書き　3．下がり　4．使わないで
5．着る

問題1

1．b　2．a　3．b　4．a　5．b　6．a

問題2

①c ②a ③b ④a ⑤a ⑥a ⑦b ⑧c

9課　自分か他者か

スタートテスト

問題Ⅰ

1．b　2．a　3．a　4．a　5．b

問題Ⅱ

1．a　2．b　3．a　4．b　5．b

問題1-1

飲む	飲もう	ちょっと休む	ちょっと休もう
泳ぐ	泳ごう	映画を見る	映画を見よう
歌う	歌おう	勉強する	勉強しよう
走る	走ろう	あしたも来る	あしたも来よう

問題1-2

1．出よう　2．行こう　3．書こう　4．登ろう　5．飛ぼう

問題2

1．b　2．a　3．b　4．a　5．b　6．b　7．a　8．a

問題3

1．a　2．b　3．a　4．a　5．a　6．b　7．b　8．b
9．b　10．b

問題4

①b ②a ③b ④b ⑤a

10課　継続性か瞬時性か

スタートテスト

問題Ⅰ

1．a　2．a　3．a　4．b　5．a

問題Ⅱ

1．b　2．b　3．a　4．b　5．b

問題1−1

①継続動詞	聞く　使う　話す　待つ　走る
②瞬間動詞	起きる　立つ　終わる　倒れる　死ぬ

問題1−2

1．①　2．②　3．①　4．②　5．②　6．①　7．②　8．①

問題2−1

1．b　2．a　3．a　4．b　5．a　6．a　7．a　8．b
9．b　10．b

問題2−2−A

1．飛んでいます　　2．止まっています　　3．並んでいます
4．咲いています　　5．遊んでいます　　6．弾いています
7．しています　　8．寝ています

問題2-2-B
1. 使いおわった　　2. 話しはじめました　　3. 働きつづけ
4. ①書きはじめました　②書きおわりました　　5. 食べはじめ

問題3
1. 話しています　　2. 開いています　　3. 閉まります
4. 持っています　　5. 降っています　　6. 卒業します
7. かかっています　　8. 消えた　　9. つきます
10. 書いてあります

問題4
1. ①住んでいます　②引っ越しする　③住む　④知っている
2. ①しています　②並べています／並べました　③飾ってあります
　　④作っています　⑤冷やしてあります

11課　話者の位置　～ていく・～てくる

スタートテスト
問題
1. a　2. a　3. a　4. b　5. b　6. a　7. a
8. a　9. a　10. b

問題1
1. a b　2. a　3. a　4. a　5. a
6. b　7. b　8. a

問題2
1. b　2. b　3. b　4. a　5. b

12課　他動詞と自動詞の対

スタートテスト

問題Ⅰ

他動詞	自動詞
わたしは電気を（　つけました　）。	電気がつきました。
わたしはタクシーを（　止めました　）。	タクシーが止まりました。
わたしはドアを開けました。	ドアが（　開きました　）。
わたしは火を消しました。	火が（　消えました　）。
わたしは水道の水を出（　しました　）。	水道の水が出（　ました　）。

問題Ⅱ

1．乗せ　乗り　　　2．始まり　始める　　　3．切れ　切ら
4．開き　開ける　　5．出　出し

問題1－1

1．上がる　　2．切る　　3．入る　　4．消す
5．閉める　　6．落ちる　　7．倒す　　8．割る

問題1－2

1．b　2．b　3．a　4．a　5．a　6．a　7．b
8．a　9．b　10．a　11．b　12．b　13．b　14．a
15．b

問題2

1．a　2．a　3．b　4．a　5．b　6．a　7．a
8．b　9．a　10．b

問題3

1. 入ってい　2. 開けてある　3. 落ちてい　4. 汚れてい
5. 壊れてい　6. 止めてあり　7. 出てい　8. 並んでい
9. 切ってある　10. 集まってい　11. 消してある　12. 開いてい
13. 始まってい　14. ついてい　15. 切ってあり

問題4

①a　②b　③b　④a　⑤a　⑥a　⑦a　⑧b　⑨b　⑩a　⑪b　⑫a
⑬a　⑭a　⑮a

13課　可能表現

スタートテスト

問題Ⅰ

1. a　2. b　3. b　4. b　5. a

問題Ⅱ

1. b　2. a　3. a　4. a　5. b

問題1

1. することができます　2. 借りることができます
3. 止めることができます　4. することができませんでした
5. 歩くことができません／ませんでした

問題2-1

書く	書ける	走る	走れる
帰る	帰れる	飲む	飲める
置く	置ける	持つ	持てる
話す	話せる	起きる	起きられる
遊ぶ	遊べる	食べる	食べられる
読む	読める	する	できる
泳ぐ	泳げる	来る	来られる

問題2-2

1．覚えられます　2．運べません　3．入れません　4．食べられません
5．話せます　6．飲めません　7．注文できません　8．送れる
9．歩ける　10．行けません

問題3

1．出られません　2．入れません　3．わかりません／ませんでした
4．歩けません　5．見えます　6．聞こえます　7．着く
8．動かなく

14課　事実か、気持ちが入っているか

スタートテスト

問題Ⅰ

1．b　2．a　3．a　4．a　5．a

問題Ⅱ

1．a　2．a　3．b　4．a　5．a

問題1
○…2，4，9，10

問題2
○…1，5，6，8，10

問題3
1．a　2．a　3．a　4．b　5．a　6．a　7．a　8．a

15課　条件など

スタートテスト

問題Ⅰ
1．b　2．a　3．b　4．a　5．a

問題Ⅱ
1．a　2．a　3．a　4．b　5．a

問題1-1

行く	行ったら	行かなかったら	大きい	大きかったら	大きくなかったら
ある	あったら	なかったら	いい	よかったら	よくなかったら
食べる	食べたら	食べなかったら	静か	静かだったら	静かで（じゃ）なかったら
来る	来たら	来なかったら	親切	親切だったら	親切で（じゃ）なかったら
する	したら	しなかったら	子ども	子どもだったら	子どもで（じゃ）なかったら

問題 1-2

1. あったら
2. 悪かったら
3. きらいだったら
4. 女の子だったら
5. 帰ったら
6. なったら
7. 着なかったら
8. 先生だったら
9. 強くなかったら
10. 雨じゃなかったら

問題 2-1

書く	書けば	書かなければ
飲む	飲めば	飲まなければ
旅行する	旅行すれば	旅行しなければ
安い	安ければ	安くなければ
広い	広ければ	広くなければ
きれい	きれいなら	きれいで（じゃ）なければ
病気	病気なら	病気で（じゃ）なければ

問題 2-2

1. 読めば
2. かけなければ
3. 安ければ
4. 高くなければ
5. ひまなら
6. シャツなら
7. 女の子でなければ
8. できれば
9. 治らなければ
10. 簡単なら

問題 3-1

1. 飲むと
2. 重いと
3. 押さないと
4. 船だと
5. 静かだと
6. 一人だと
7. 休まないと
8. 渡ると
9. きれいだと
10. おいしいと

問題 3-2

1. a 2. a 3. a 4. b 5. a 6. a 7. b 8. b

問題4

1. 熱があるなら   2. スーパーに行くなら   3. 2,000円なら
4. 電話なら   5. ラーメンなら

問題5

1. b   2. a   3. a   4. b   5. a   6. a   7. a

16課　授受　だれがだれに？

スタートテスト

問題Ⅰ

1. a   2. b   3. c   4. c   5. c

問題Ⅱ

1. a   2. c   3. b   4. c   5. b

問題1

1. ノートをもらいました   2. ケーキをあげました
3. チョコレートをあげました   4. 本をくださいました
5. 花をさしあげました   6. ネックレスをくれました
7. ぼうしをもらいました

問題2

1. わたしのために薬を買いに行ってくれました
2. わたしの作文を直してくださいました
3. わたしをパーティーに招待してくれました
4. タンさんに宿題を手伝ってもらいました
5. ミラーさんにいい本を紹介してあげました
6. 友だちにお金を貸してもらいました

7．わたしにゆびわを買ってくれました
8．マナさんの部屋をそうじしてあげました
9．山中先生に日本語を教えていただきました
10．子どもたちに本を読んであげました

問題 3-1
1．b　　2．a　　3．a　　4．b　　5．b　　6．a　　7．b

問題 3-2
1．A：もらった　B：くれた　　　　2．もらいました
3．あげました　　　4．くれました　　　5．くれました
6．もらう　あげる　　7．くれた　もらおう／もらいたい
8．くださった　　　9．もらう　　　　10．あげる
11．あげ　　　　　12．もらい

17課　使役

スタートテスト

問題 I
1．書かせ　2．洗わせ　3．泳がせ　4．喜ばせ　5．待たせ

問題 II
1．a　　2．b　　3．a　　4．a　　5．b

問題 1-1

辞書形	使役の形	辞書形	使役の形
待つ	待たせる	読む	読ませる
笑う	笑わせる	走る	走らせる
書く	書かせる	調べる	調べさせる
出す	出させる	いる	いさせる
立つ	立たせる	持ってくる	持ってこさせる
遊ぶ	遊ばせる	散歩する	散歩させる

問題 1-2

1．を　2．を　3．に　4．に　5．に　6．に　7．を　8．に

問題 1-3

1．子どもたちをいすにすわらせました
2．店員を8時前に店へ来させます
3．子どもに右側を歩かせます
4．社員にインターネットで調べさせました
5．ワットさんに何回も練習をさせます
6．子どもに好きな本を選ばせました
7．きょうわたしを3時に帰らせてくれました
8．犬をおもちゃで遊ばせました
9．みんなをおどろかせました
10．たろうを泣かせました

問題2

①b　②a　③a　④a　⑤b　⑥a　⑦b　⑧a　⑨a　⑩b　⑪b　⑫a　⑬a

18課　受身・使役受身

スタートテスト

問題Ⅰ

1．呼ばれ　　2．聞かれ　　3．押され　　4．降られ　　5．開かれ

問題Ⅱ

1．待たされ　　2．持たされ　　3．させられ　　4．来させられ

5．食べさせられ

問題1

辞書形	受身の形	辞書形	受身の形
言う	言われる	踏む	踏まれる
行く	行かれる	切る	切られる
起こす	起こされる	考える	考えられる
立つ	立たれる	見る	見られる
死ぬ	死なれる	持っていく	持っていかれる
呼ぶ	呼ばれる	相談する	相談される

問題2

1．祖母に育てられました
2．山中さんにパーティに誘われました
3．知らない人に声をかけられました
4．犬にくつを持っていかれました
5．隣の人に足を踏まれました
6．先生に作文をほめられました
7．（だれかに）大きいバイクを止められ
8．みんなにさわがれ
9．どこで開かれますか

10．ぶどうから作られます

問題3

1．a　2．a　3．b　4．a　5．b　6．a　7．a
8．a　9．a　10．a

問題4

辞書形	使役受身の形	辞書形	使役受身の形
買う	買わされる	急（いそ）ぐ	急がされる
行く	行かされる	着る	着させられる
出す	出させられる	考える	考えさせられる
待つ	待たされる	覚（おぼ）える	覚えさせられる
飲む	飲まされる	心配（しんぱい）する	心配させられる
作る	作らされる	来（く）る	来（こ）させられる

問題5

1．父にアルバイトをやめさせられました
2．母に重い荷物（にもつ）を運ばされました
3．母に母の忘（わす）れ物（もの）をとりに行かされました
4．課長（かちょう）に何度もレポートを直（なお）させられました
5．妹に食事代を払（はら）わされます
6．よく、兄に泣（な）かされました
7．木村さんにびっくりさせられます
8．彼に1時間も待たされました

問題6

①a　②a　③a　④c　⑤b　⑥b　⑦c　⑧a　⑨a

19課　敬語

スタートテスト

問題Ⅰ

1．a　　2．a　　3．b　　4．b　　5．a

問題Ⅱ

1．a　　2．a　　3．b　　4．b　　5．b

問題1-1

1．お話しになります　　2．お帰りになります　　3．お着きになります
4．お使いになります　　5．お生まれになりました

問題1-2

1．ごらんになります　　2．いらっしゃいます　　3．いらっしゃいます
4．召し上がります　　5．おっしゃいました

問題1-3

1．飲まれます　　2．読まれます　　3．散歩される　　4．買われる
5．帰られました　　6．来られます　　7．言われました　　8．出られます
9．行かれました　　10．休まれた

問題2-1

1．お話しします　　2．お返しします　　3．お待ちします
4．お見せしました　　5．お知らせします　　6．ご招待します

問題2-2

1．いただきます　　2．おります　　3．いたします
4．拝見しました　　5．うかがいました

問題4
1. b   2. b   3. b   4. b   5. a   6. b

問題5
①待っていました　②書いてください　③です　④案内(あんない)します

問題6
1. ①いらっしゃいました　②待っていらっしゃいます
2. ③いらっしゃいました　④いらっしゃった　⑤なさいました
　　⑥うかがっても

20課　文のスタイル

スタートテスト
問題
1. a   2. b   3. a   4. a   5. b   6. a   7. a
8. a   9. a   10. b

問題1
1. a   2. b   3. b   4. a   5. b

問題2-1
1. なくしてしまった　2. 読んでしまった　3. 寝(ね)ているね
4. はいている　　　　5. 見ていた　　　　6. 待っていて
7. すわっては　　　　8. 来たのだ　　　　9. と
10. 食べなければ

問題2-2

1．a　　2．a　　3．b　　4．a　　5．b

問題3

①迎(むか)える　　②新１年生だろう　　③生まれかわった　　④行われた
⑤読んだ　　⑥ある　　⑦スタートした　　⑧変(か)わった
⑨そうだ　　⑩出発した